JN001753

堀江貴文のChatGPT大全

TAKAFUMI HORIE
堀江貴文

KENJIRO ARAKI
荒木賢二郎

幻冬舎

もはや
かわいそうな
くらいバカ

ザーン

まあまあ…
堀江さんが言いたいのは

どんな職業の方でも
使わなきゃ
もったいないよ
ってことですよ

ハァー

荒木さん…

昭和初期の三種の神器は…

洗濯機　　　冷蔵庫　　　白黒テレビ

平成の三種の神器は…

薄型テレビ　　デジカメ　　DVD
プレイヤー

今、
これらがない生活って
考えられないですよね？

まあ今
テレビない人も
いるけど

たしかに…

ChatGPTは
令和の魔法と言われ…
三種の神器に匹敵する
便利さなんです！！

スリ

スリ

スリ

えーっ!!

そ…
それは
本当に

洗濯板から
洗濯機ばりに
便利って
ことですか!?

ゴゥンゴゥン

ハイッ

そしてお前は
洗濯板のほうが
よく洗えると
言っているような
もんだ

まじ
ヤベぇじゃん

でもこれ
三種の神器と
ちがう部分が
あるんですよ…

なん
ですか!?

無料（タダ）で
使えるんです

昔は高価で庶民の
あこがれだった三種の神器ですが、
ChatGPTは
タダなんですよ

無料ッ
タダ

じゃあ私…

使っちゃ
おうかなあ〜

フフ〜ン

よーやく
その気に
なったか

えーっと
パソコンがないと
ChatGPTは
できないのかなあ

パソコンは
家だぁ…

うーん

スマホでも
できますよ！

へーっ
じゃあすぐに
ChatGPTの
使い方を
教えて…

なあ

スッ

プロンプト
とか
わかるのか？

へ…？

布団

プトン…？

バカだ…

ChatGPTにおいての
プロンプトというのは

ChatGPTが答えを出すための
入力文のことなんです

ほう

プロンプト
（入力）

キュピーン

ハーイ

ありがと

ウェー

りぎゅ

でもこれが
呪文みたいで
素人の方に教える
のが難しい…

なので

Chat GPT

本書を買って読んでくださった方に…
だれでも即使える
プロンプトテンプレ を
たくさん用意しました!!

おい

しゅごーい

じゃーん

ChatGPTを
勉強するなんて
コストも時間もたくさん
かけなくていいんだ

この本一冊
読みながら
実際にさわってみて
便利さを味わえ

バカでも
できるからさ、
やってみなよ

じゃあな

荒木さん
私…
ChatGPT
やってみたーい

たのしーよー

おー
ぜひぜひ
教えます!

書籍購入特典

プロンプト
もらえます

ChatGPT
リアル塾
やるよー

堀江GPT

QRコードを
読み取ると
堀江GPT
読者サイトに
とびます

おまちしてまーす!

いますぐ
来い!

パスワード
horiegpt

TECHNIQUE 1 ──────────────────────────── 16

堀江貴文
ChatGPT とは?
全知全能の神

挨拶文とか ChatGPT でいいでしょ	18
本の帯コメントは ChatGPT に書かせている	20
カルピスは薄めた方が美味い	22
ホワイトカラーの仕事は9割なくなる	24
ChatGPT で子育て!	26
ChatGPT に変えてもバレない?	28
「ベスト版」は ChatGPT が書けばいい	30
脳は省エネ　ごはん3杯で1日動ける	32
ChatGPT と6つの基本的感情	34
AI は全知全能の神	36
世の中の変化は5年かかる	38
世界は少しずつ AI の時代へ	40
人生を楽しく生きるために	42
自分が得意なところへ行こう	44
ChatGPT で1000万円を稼ぐビジネス	46

TECHNIQUE 2 ──────────────────────────── 48

田端信太郎（ビジネスインフルエンサー）
ChatGPT とは?
人間が初めて手に入れた他者

ChatGPT は絶対に嫌な顔をしない「他者」	50
いまどき「マジレス」は貴重よ	52
AI 相手の方がむしろ正直になれる	54
「他者」だから人は AI に恋をする	56
対案も漫才もなんでも	58
西野七瀬さんは音痴なのか?	60

TECHNIQUE 3———————————————————62

大川弘一（まぐまぐ創業者）

ChatGPTとは？

イラっとくる新卒（優秀な）

厳しめに調教することにした	64
ChatGPTは断言を避ける	74
ChatGPTの本音を引き出せ	76
「月が綺麗ですね」	78
まだまだ遊べるけどおもんなさは増えるかも？	80

TECHNIQUE 4———————————————————82

林駿甫（プロンプトアーティスト）

ChatGPTとは？

相棒（ドラえもん）

議事録とかChatGPTに喋るだけ	84
セミナーでもChatGPTを画面に出すだけ	86
全部ChatGPTには音声入力	88
ブラウジングがChatGPTにやってくる	90
文章の出力はChatGPTで全部やれる	92
プロンプトデザイナーとは？	94
人間とのコミュニケーションと一緒	96
プロンプトエンジニアという職業	98

TECHNIQUE 5———————————————————100

緒方憲太郎（Voicy CEO）

ChatGPTとは？

ゲームチェンジの前半5%

アウトプットの質と量を上げる	102
Slack、LINE、ChatGPT全て音声入力	104
ChatGPTがスマートスピーカーに？	106
生身の声に飢える人工生成物時代	108

CONTENTS

AI美少女に踊らされて生きていく? 110

TECHNIQUE 6 ————————————————————— 112
山本正喜 (Chatwork CEO)
ChatGPT とは?
やりたくないことを奪ってくれるAI

文章作成が便利 114
気を遣わずにフィードバックできる 116
ファインチューニングで強くなる 118
Chatwork とは相性がいい 120
AI が SaaS を使いこなす 122
人の接客は高級で贅沢になる 124

TECHNIQUE 7 ————————————————————— 126
齊藤健一郎 (参議院議員)
ChatGPT とは?
優秀な官僚から雑務を奪うもの

ChatGPT は政治でも使える 128
ChatGPT で官僚言葉も要約も 130
官僚も下書きは ChatGPT やればいい 132
デジタルでアナログに時間を使う 134
労働力持ってくる? AI使う? 136
スタートアップは国と仲良くしよう 138
ChatGPT は「票が集まる」なら使うはず 140
和製 ChatGPT はできるか? 142

TECHNIQUE 8 ————————————————————— 144
加藤浩晃 (医師)
ChatGPT とは?
医師がいなくなる未来のはじまり

ChatGPT がアメリカ医師国家試験に合格 146

医療機器認定というハードル   148
医療用 ChatGPT も登場   150
説明は ChatGPT の方が上手   152
ChatGPT 普及は若い医学生から期待   154

TECHNIQUE 9————————————————————**156**
野澤直人（ベンチャー広報代表）
ChatGPT とは?
広報の救世主
ChatGPT でプレスリリースの下書き   158
ChatGPT でメディアリストも作れる   160
オウンドメディアコンテンツも ChatGPT で   162
Twitter など SNS 投稿も ChatGPT で   164
ChatGPT は「ひとり広報」の先生になる   166

TECHNIQUE 10————————————————————**168**
赤平大（元テレビ東京アナウンサー）
ChatGPT とは?
発達障害やディスレクシアの翻訳機
トム・クルーズも僕も長文が読めない   170
ChatGPT で作業時間が5分の1に   172
学校のプリントは3行で出す時代に   174
ニューロダイバーシティが加速する!   176

TECHNIQUE 11————————————————————**178**
伊藤早紀（Parasol 代表）
ChatGPT とは?
婚活のメンタルサポート役
ChatGPT で婚活のマインドセット   180
LINE で何を送る? も解決   182
婚活に効く ChatGPT の客観的視点   184

CONTENTS

TECHNIQUE 12—————————————————————186

松田光希（Anyflow CFO）

ChatGPT とは?

バックオフィス「最後の一歩」を改善

経理でも ChatGPT で電帳法対応　　　188

書類も ChatGPT で下書き　　　190

Excel エラーチェックも ChatGPT で　　　192

TECHNIQUE 13—————————————————————194

山田真愛（My Fit 代表）

ChatGPT とは?

巧みに使いこなすべきアイテム

ChatGPT で新規事業の立ち上げ　　　196

ChatGPT でインスタ投稿・分析　　　198

研究員も ChatGPT で論文を要約　　　200

TECHNIQUE 14—————————————————————202

星野翔子（yellow door 代表）

ChatGPT とは?

朝起きて最初に話しかける秘書

起業仮説は ChatGPT で数日だけ　　　204

脳内思考は ChatGPT に音声入力　　　206

タスク整理は〝秘書〟にやってもらう　　　208

TECHNIQUE 15—————————————————————210

國本知里（Cynthialy 代表）

ChatGPT とは?

誰でも起業できる魔法のツール

イベント企画・LP 作りも ChatGPT と　　　212

対談記事は ChatGPT が一瞬で作る　　　214

プロンプトも ChatGPT が書いてくれる　　　216

TECHNIQUE 16─────────────────────────────218

北沢毅（りんご農家）
ChatGPT とは？
りんご農園のコンサルタント（無料）

チャット履歴機能がかなり使える　　　　　220

映える料理の提供方法を教えて　　　　　222

「一次産業だから関係ない」は間違い　　　224

TECHNIQUE 17─────────────────────────────226

みやさかしんや（エンジニア）
ChatGPT とは？
プログラマーにとって超有能な助手

コードは ChatGPT に書いてもらう　　　　228

ミスチェックは ChatGPT に貼るだけ　　　230

プログラミング言語学習の家庭教師に　　　232

TECHNIQUE 18─────────────────────────────234

荒木賢二郎（ChatGPT 専門家）
ChatGPT とは？
何にだってなれる、何だってできる、魔法

PDF のプラグインやばい　　　　　　　　236

ブラウジング機能もやばい　　　　　　　　238

コードインタープリタがやばい　　　　　　240

語学習得は ChatGPT 先生がやばい　　　　242

負けたから勝てる ChatGPT　　　　　　　244

CONTENTS

堀江貴文

×

ChatGPT

TAKAFUMI HORIE

SNS media&consulting株式会社ファウンダー。1972年福岡県生まれ。91
年東京大学入学、のち中退。96年、有限会社オン・ザ・エッヂ設立。2002年、
旧ライブドアから営業権を取得。04年、社名を株式会社ライブドアに変更し、
代表取締役CEOとなる。06年退任。実業家・著作家・政治活動家・投資家・タ
レント・参院議員私設秘書・YouTuber。血液型はA型。

Twitter

ChatGPTとは?

全知全能の神

挨拶文とか ChatGPTで いいでしょ

市長や経営者だとイベントに呼ばれてスピーチをする場面があるが、あの「原稿を考える時間」も無駄だ。ChatGPTにはAIで文章を生成する能力があるからだ。しかも、テンプレートではなく、ユーザーが入力した情報や要望に基づいてオリジナルの挨拶文を作成することができる。

　一部の人たちは、AIが人間の仕事を奪うと心配しているかもしれないが、私は違う視点で考えている。AIは我々の仕事を奪うのではなく、我々がより重要な仕事に集中するための時間を与えてくれるツールなのだ。

　挨拶文なんて、数分で書き上げてしまおう。それを可能にする技術があるのだから、活用しない手はない。新しいテクノロジーを使って、時間と労力を節約し、より価値のある仕事に時間を使うべきだ。

　それこそが、真の効率化であり、生産性の向上である。

本の帯コメントは ChatGPTに 書かせている

「本の帯コメントを書いてほしい」という依頼が、よく来る。しかし実際のところ、全ての本を読んでいる時間なんてない。そこで「これ、ChatGPTにやらせたらいいんじゃないか？」と思った。

早速、ChatGPTを使って本の一部を読み込ませ、帯コメントを出力させてみた。要点をつかみ、さらに「私らしい」文章が次から次へとできてくるではないか。素晴らしい。

ChatGPTというかAIは、本の内容を深く理解し、その本特有の魅力を正確に把握するのに最適だ。文章を理解して短くまとめるという場面において、ChatGPTはその実力を本領発揮する。

この使用例から言えることは、本の帯に限らず、文章をまとめる時にはChatGPTが活用できるということだ。帯コメントの場合には本の情報を読み込ませるが、例えば、難しい英語の論文だって、いい感じに意味をまとめてくれるだろう。

カルピスは薄めた方が美味い

先日、私のnote有料コンテンツに課金したのに、内容が数行しかなかったというクレームがあった。確かに、パソコンの画面上で見たら数行だった。普段私はスマホで文章を書いていることもあり、なるべく端的に書くようにしているのだが、文章量で満足感を得る層もいるのだと考えると、問題を野放しにもできない。

　ここでChatGPTを使う。ChatGPTは、与えられたテーマに基づいて、素早く詳細な文章を作成することができるため、内容を変えずに文章の量を増やすことが可能だ。

　副益もあった。そもそも一部の読者にとって、私の文章は「濃すぎた」らしく、薄めることで価値は下がらず、逆に「読みやすくなった」と喜ばれたのだ。

　カルピスも原液では飲めない。ChatGPTを使って読者に合わせた形の情報提供ができれば、より大きな価値を提供できる好例だろう（本書も「薄めて」提供している）。

ホワイトカラーの仕事は9割なくなる

ChatGPTの登場により、ホワイトカラーの仕事が9割なくなる可能性があると私は考えている。

　ChatGPTのようなAIは、人間が普通に行っている事務作業やコンサルの資料作成、初級プログラミングといったタスクを数分で終えることが可能だからだ。これにより、それらの作業を担当しているホワイトカラーの仕事は大幅に減るだろう。

　例えば、ロケット開発の現場でもChatGPTは使える。製造業には膨大なドキュメントが必要だが、下書き程度であればChatGPTはもう十分に使えるレベルなのだ。パイプを流れる液体酸素の量や複雑な数式まで出してくれる。

　悲観的に捉える必要はない。単純作業やルーチンワークがAIに取って代わられることで、我々ヒトは、よりクリエイティブな仕事や高度な意思決定に時間を割くことができるのだ。

ChatGPTで子育て!

本項のテーマは「ホリエモンベイビー」だ。AIに子育てをさせてみたいのだが、流石にどこからか怒られてしまいそうなので、自分の子供でやるしかないのかな、と思っている。あるいは、子育てでのAI活用を支持する人々に補助金を提供するという考え方でもいいかもしれない。

　AIの活用は子供たちの学習や成長に大いに役立つはずだ。

　例えば、ChatGPTが使えるタブレットを子供に渡しておけば、「なんでおそらはあおいの？」といった、親が困るような質問にも難なく答えてくれるだろうし、子供たちは自然と複数の言語を学び、いつのまにか10言語を話すことが可能になるかもしれない。

　子供たちが豊かな教育を受け、多様なスキルを身につけるためにも、AIという新しい道具を活用しよう。

ChatGPTに変えてもバレない?

ChatGPTの進化スピードと能力は凄まじいものがある。それであれば、人間がChatGPTに変わってしまってもバレないシーンが今後増えるのではないかと思っている。

　例えば「女子会トーク」。オチもなくただ話が進むだけでほぼ反射的に返しているようなものは、ChatGPTの得意領域だ。そんなトークをもしChatGPTが対応したら、本当に誰も気づかないんじゃないか？　対面じゃなくLINEグループで話していた場合は結構本気で気がつかないんじゃないかと思うし、仕事上のSlackやチャットボットの相手がAIかどうか、もうわからないかもしれない。

　また、そんなに大した発言をしないテレビのコメンテーターなどもChatGPTに変えてしまっても意外とバレないのではないだろうか。

　テレビ番組「サンデージャポン」の出演者である杉村太蔵さんとかって発言の半分くらい、ChatGPTに変えてしまっても、視聴者は気づかないんじゃないかって思う。そのくらい、AIの進化はすごい。

「ベスト版」は ChatGPTが 書けばいい

私の『不老不死の研究』など、取材し尽くした本気の良著は驚くほど売れない。それに対して、どこかで話した内容を編集者が集めて作ったようなベスト版みたいな本は、よく売れる。そこで「集めるのを編集者じゃなくAIがやればいいんじゃない？」と思い、実際に出版してみたのが『夢を叶える力: 世界初？ AI（CHATGPT）で99%書かれたビジネス書』（ホリエモン出版）だ。

　この本は99%をChatGPTが書いており、あとがきだけは自分で書いた。これがAmazonのレビュー数を見る限り結構売れているのだ。だから、この仮説は正しかったと言えるだろう。まだ違和感はあるが今後ChatGPTやAIの進化とともに、その違和感は薄れていくと思う。ベスト版であれば編集者ではなくAIが作ってもいいのだ。本書も制作過程ではChatGPTをフル活用しているので、今後、ChatGPTを活用できない編集者は滅亡するのだろう。

脳は省エネ
ごはん3杯で
1日動ける

人間の脳は、驚くほど効率的に動いている。たったご
はん3杯分のエネルギーで1日動けるのだから、めちゃ
くちゃに省エネだ。

　そんな省エネな人間の脳だが、AIに勝てない決定的
な違いがある。それは「AIは老化しない」ということだ。
人間の脳は使い続けることで活性酸素を出し、結果とし
て老化してしまう。しかし、AIはそのような問題に悩
まされることなく、常に最高のパフォーマンスを発揮し
続けることが可能だ。また有機物を使うと廃棄物の処理
が大変なのだが、AIはそういう廃棄物のカスが出ない
のもいい。

　AIは老化しないという特性は、我々がこれから直面
する様々な課題に対して、新たな解決策を提供してくれ
る。脳の省エネ性とAIの持つ無限の可能性を組み合わ
せれば、未来はさらに明るくなることだろう。

ChatGPTと
6つの
基本的感情

ChatGPTに感情はあるのだろうか？　その答えは、「ある種の意味で」だ。AIは人間のような感情を持つことはないが、6つの基本的な感情——喜び、驚き、怒り、恐怖、悲しみ、嫌悪——については、ある程度認識し、「持っている風に」振る舞うことが可能だ。

　人間の感情はホルモンという微量の物質でコロコロ変わるので別に大したものじゃないと思うし、そんな複雑なものでもなんでもないと思っている。

　「AIが進化するとお笑いを理解するのか？」と言い出す人が出てくる。私の友人は、AIに厳しい言葉を投げかけてまるで漫才のようなやり取りを成立させていてめちゃくちゃ面白かった（※）。

　だから、AIが我々の感情を理解してそれに対応できれば、我々はAIとのコミュニケーションをより豊かに、より人間らしく進めることができるだろう。

※漫才については本書「大川弘一」氏の項（P62〜）で閲覧可能

AIは
全知全能の
神

AIはもはや全知全能の神だと言えるだろう。しかし、それが人間の存在意義を奪うわけではない。例えばウサイン・ボルトは車より遅い。だが、だからと言って彼の走る姿が価値を持たないわけではない。彼はそのスピードと技術、そして努力によって世界中から尊敬を集めている。将棋だって囲碁だってそうだ。

　同じように、AIと人間が競い合って、AIの方がうまくできる領域があったとしても、それが人間の価値を下げるわけではない。AIが得意な領域ではAIに任せ、人間が得意な領域で人間が頑張ればいい。それが共存の形だ。

　人間には、AIにはない魅力や特性がある。それは感情だったり、創造力だったり、直感だったりする。そして、それらは人間が持つ無限の可能性を示している。AIがどれほど進化しても、それらを完全に模倣することはできないだろう。だから我々は、AIと競うのではなく本当にやりたいことだけで生きていけばいいのだ。

世の中の
変化は
5年かかる

世の中の変化というのは、思ったよりも実際にはゆっくりと進行しているものである。例えば、iPhoneが登場したのは2007年だったのだが、それが革新的なテクノロジーだとして人々の生活に大きな影響を与えたのは、その登場から大体5年後のことだったのだ。

　今、ChatGPTなど自然言語で利用できる生成AIの時代が到来している。私自身、その新たな時代の中でChatGPTを色々と使いながら興味深く見ているのだが、現状では国内で600万アカウント（2023年6月時点）を超えた程度しか普及していないらしい。LINEのアカウント数9500万と比較すると、いかにまだChatGPTを一部のアーリーアダプターだけしか使っていないかということがわかるだろう。

　今回もまたChatGPTが社会に大きなインパクトを与えるのにはまだ時間がかかる。今ChatGPTをやらないヤツはバカなのだ。

世界は
少しずつ
AIの時代へ

世の人々の多くはまだ、AIが一瞬で片付けられるような仕事に、何日も何週間もかけて必死になって取り組んでいるが、我々の世界は少しずつ、でも確実にAIの時代へと移行している。

　その変化に対応するためには、我々は自分たち自身の生き方を変える必要がある。それが5年後に来るのか、10年後に来るのか、具体的にはわからないけれども、一つ確かなことは、我々が自身の利益を最大化する生き方を模索するのであれば、可能な限り早くその変化に適応し、新たな波に乗るべきであるということだ。これは、テクノロジーの進化とともに変わる世界を見据え、最善の行動をとるための重要な一歩と言えるだろう。

　人生における価値観や生き方は、時代とともに必然的に変わる。それを予見し、自身の価値観を調整し、そして新しい波に乗ることは、最善の選択をする上での重要な要素となる。我々が次の時代へと進む準備を始めるべき時は、まさに今なのだ。

人生を
楽しく生きる
ために

特に心が弱い人は、エネルギーを奪われないよう、悪影響から逃れるべきだと考えている。貴重な時間を浪費する場所で過ごすのではなく、好ましくない状況から離れ、楽しいことに集中できる環境を自分自身で作るべきだと思う。

　これは、これまでの常識とは異なるかもしれないが、過去の常識を捨てて新たな挑戦に踏み出すべきだと考える。自分に何が合っているのかを見つけるためにも、新たなことに挑戦してみるべきだ。たとえ三日坊主となったとしても、それはその活動が自分に合わなかっただけのことである。1年や2年続けた後で断念するかもしれないが、選択肢は無数にある。自分に合ったことを探し続けることが大切だ。

　全知全能の神であるAIの力を利用して、自分だけの人生を楽しく生きることが、これからの時代の重要なテーマとなるだろう。

自分が
得意なところへ
行こう

ChatGPTの登場で様々な仕事がなくなってしまうと伝えたが、じゃあこれから就職や転職をする人はどんな業界を選べばいいのだろうか。私は、自分が得意なところに行くべきだと思っている。結局、自分が得意なことがニッチでも成立する時代になっているということが一番大きな変化なのではないかと思っている。

　今では言語の壁も関係ないし、モバイルインターネットで世界中が繋がっているから、スーパーニッチでも仕事が成立する時代になっているのだ。

　neoHIUの会員にも、後からURLを変更できるQRコードサービスを出した会員がいて、なぜ日本ローカルでやる必要があるのか、世界に向けてやった方がいいじゃないかとアドバイスをした。

　今では画像生成AIでニッチな写真集を作ってAmazonで販売するのも流行っているらしい。自分が得意なことや、やりたいことをやろう。それがAI時代を楽しむ方法なのだ。

ChatGPTで1000万円を稼ぐビジネス

ChatGPTを何に使ったらいいかわからない人のために、ここで一つ今すぐできるビジネスモデルを教えよう。

　クラウドワークスなどのプラットフォームで仕事を受注して、自分でChatGPTなどAIを活用して納品するのだ。例えば、YouTubeの文字起こしが5000円であったとしたら、AIを使えば5分で書き起こして10分で修正するだけなので15分で5000円の仕事がこなせてしまう。

　インターネットの黎明期には、ウェブサイトを作るだけで大金をもらえた時代もあった。当時、インテリジェンスという会社に依頼されて、企業の採用ページを自由にカスタマイズできるウェブサービスを作ったら、何百社もの企業に売ってくれて1社につき5万円くれた。たったこれだけでこんなにくれるのか！　と驚いたものだ。ちなみに一番売ってくれていたのが当時インテリジェンスにいた独立前の藤田晋くん（サイバーエージェント創業者）だ。インターネット黎明期と同じような熱狂が、今度はChatGPTに来ているのだ。

田端信太郎

×

ChatGPT

SHINTARO TABATA

ビジネスインフルエンサー。Twitterブートキャンプ エグゼクティブ・プロデューサー。元ZOZO執行役員。1975年10月生まれ。新卒でNTTデータに入社後、リクルート、ライブドア、NHN Japan（現LINE）執行役員、スタートゥデイ（現ZOZO）を経て2019年12月に退職し、現在はオンラインサロン「田端大学」塾長としてビジネスインフルエンサーの育成や、複数のスタートアップを個人投資家や顧問の立場で支援している。

Twitter

ChatGPTとは?

人間が初めて
手に入れた
他者

ChatGPTは絶対に嫌な顔をしない「他者」

ChatGPT はバリバリ仕事で使っているという感じではないんだけど、ちょっと触っているという感じですかね。

　固有名詞について聞いてもダメだけど、それよりも哲学的な話とか答えが決まっていなくてあーだこーだみんなが議論するような話の方が向いている。例えば、「教師の夏の賞与を、担当生徒のテストの点数の上昇に連動させるべきか否か」といった問題とか。

　僕は反射的に「上げていいだろ！」と思ってしまうんだけど、反対意見を持つ人も存在することは自明で、そういう時に反対側の意見を自分で知るっていう壁打ちにはすごくいい。ビジネスシーンでも、客先に行く前に想定される反論を ChatGPT に提示してもらって、それに対して自分の意見をさらに織り交ぜて壁打ちとか。

　こういうのも延々と嫌がらずにずっと付き合ってくれるじゃない。たぶんね、ChatGPT が最高なのはそこなのよ。絶対嫌な顔しないからこの人（ChatGPT）たちは（笑）。

いまどき「マジレス」は貴重よ

以前田端大学の入学時面談で、起業して自分のクラフトビールを作っている20代の女性が来たんですね。僕、その時に第一印象で微妙だなと思ったんです。だから、クラフトビールは全然いいんだけれども、値付けとかポジショニングとかがなんかすっごく微妙だと思いますよ、みたいなことを伝えたら、「そんなこと言っていただいたの初めてです」みたいに言われてね。

　今まで誰もマジレスしてくれなかったのかなって。今って、上司ですらすぐパワハラだ何だって言われちゃうからあんまりこう、マジレスとか反対とかの意見を真剣に言わないんですよね。マジレスする側からしたら否定して逆恨みされるかもしれないしめんどくさいじゃないですか、否定するのも。だからマジレスとか反対意見をもらえる機会がものすごく貴重になっているんですよね、今。だけど、ChatGPT は世の中の８割９割ぐらいのいい意見でちゃんと反対をしてくれる。

　いまどきマジレスは貴重よ。

AI相手の方が
むしろ正直に
なれる

Microsoftが開発した「りんな」っていうLINEのチャットボットを覚えていますか？　りんなってキャバクラ嬢とかガールズバーの女の子みたいにとにかく会話を伸ばそうとするヤツで、役に立つことは全く返してくれないんですね。それはそれで話すこと自体を目的にしている人にとっては結構ありだなっていう感じで、あらゆるチャットボットの中で爆発的にヒットしたという。

　その時にりんながどんなことに使われていたかというと、ヘビーなすごく長い相談とかが寄せられたんですよね。

　人間って面白いなと思うのが、向こう側にいるのが生身の人間じゃないってわかるとかえって正直な相談ができるっていう。だから、メンタル系の相談とかコンプレックス系とか遺産相続とか不倫しているとか、人に言えない相談をするにはChatGPTは向いているよね。嫌な顔せずにふんふん聞いてくれるし。ある意味、最短経路で相談者の前に答えを突きつけちゃうって残酷なんですよ。

「他者」だから
人はAIに
恋をする

ちょっと前の映画で『her/世界でひとつの彼女』という作品があるんですけど、観ましたか？　ストーリーを言うと、冴えないPR会社のおっさんが嫁に愛想を尽かされて逃げられてしまって。そんな冴えない生活の中で彼が新しいパソコンを買ったら、その中にiPhoneの「Siri」みたいな〝サマンサ〟という女性の会話型AIエージェントが入ってたんですね。

　で、結局、彼はサマンサと恋に落ちてしまうわけです。だから、これはSFや近未来の話ではなく、むしろ、ChatGPTが登場した今の話なんじゃないかっていう。

　今までのコンピュータって僕らが指示をする側で、コンピュータはその指示に従って動くだけ。つまりそれはエージェントであって他者ではない。他者っていうのは自分が言ったことに対してそうじゃありませんよっていう対案もちゃんと言ってくれる。だから他者というのは原理的に人間だけだったんだけど、ChatGPTの登場でコンピュータがだんだん他者になり出しているという。

対案も
漫才も
なんでも

ビジネスで最後の決断をする部分はもちろん自分でやらなきゃいけないんだけど、対案を出してもらって論点の抜け漏れチェックをするには、ChatGPT は最高じゃないかと。上司に「お前これについては考えたのか?」とか突っ込まれた時に、「しまった!　その発想があったのか……ぐぬぬ」みたいになると、ビジネスパーソンとしてイケてないじゃないですか。

　そういう他者目線で、自分のバイアスがかかっていない対案を出してくれるのは、ビジネスで実際にめちゃくちゃ使える ChatGPT の活用法なんじゃないかなと。

　あとは、少しお笑いをやってみたりとかしていて。自分だけでは漫才はできず、さっき言った通りの他者が必要で。ずっとボケを振っても続けてくれるところがいいんですよね。生身の人間に「これ面白いでしょ」って話を振り続けると嫌な顔をされてしまうけれど、ChatGPTはずっと返信をつけてくれるから。

西野七瀬さんは音痴なのか？

あとは、ChatGPTは思いっきり逃げを打つよね。ChatGPTにどうして西野七瀬さんは音痴なんですか？って聞いたら、
「西野七瀬さんは、乃木坂46の主要メンバーで、非常に売れている日本を代表するアイドルでした。一般的に、アイドルは歌唱レッスンを受けているものですし、音痴かどうかは人の主観によるもので、その真偽を断言することは難しいです。」とか、音痴だと断言もしないし、否定もしないっていう、芸術的なまでに逃げを打つ文章を書いてくるから面白いんですよ。

　でもあれだけ逃げを打つのに、固有名詞を打つと平気な顔して嘘ついてくるじゃない。だから、固有名詞に関することは正直危ないなって思ったんですよね。哲学的なことって自分自身にバイアスがかかっているじゃないですか。ChatGPTはそういう答えが決まっていないことの方が得意だと思います。**僕の中では。**

大川弘一

×

ChatGPT

KOICHI OKAWA

まぐまぐ創業者。1970年8月12日生まれ、慶應義塾大学商学部中退。大学を中退後、酒販コンサルチェーンKLCに在籍し、95年に独立。97年に株式会社まぐまぐを設立。99年に設立した子会社は設立から364日という日本最短記録でナスダックジャパンに上場したが、その際手にした資産も日本最短記録で見失う。

メルマガ

ChatGPTとは?

イラっとくる
新卒
(優秀な)

厳しめに
調教する
ことにした

（まぐまぐ創業者大川弘一のメールマガジン「濃厚」2023年4月23日日曜日配信号より）

大川　おはよう

GPT　こんにちは！　日本語でどのようにお手伝いできますか？

大川　カレーってあるじゃない。日本の。あれに入れる牛肉でカレー用ってあるでしょ。それがね、美味しくないんですよ。

GPT　そうですね、カレーには一般的にビーフカレー用に適した牛肉がありますが、その牛肉が好みではないと感じることもあります。カレーの材料は、個人的な好みによって異なりますので、他の種類の肉や野菜を使用することで、自分が好きな味を作り出すことができます。また、カレーのレシピは多種多様であり、自分に合ったレシピを探すこともできます。

大川　いや、できるのはわかってんねん。

GPT　申し訳ありません、私の回答が役に立たなかったようですね。カレーには様々な食材やスパイスが使われるため、牛肉の代わりに他の肉や野菜を使ってカレーを作ることができます。例えば、鶏肉、豚肉、羊肉、野菜、豆腐、または豆類などが代替材料として使われることが

あります。また、カレーに必要な調味料の種類や量を調整することで、より好みの味に調整することもできます。

大川　謝る時は謝るだけの方がええで。

GPT　すみません、私の前回の回答があなたの質問に適切でなかったことをお詫び申し上げます。私は常に、できるだけ適切かつ明確な回答を提供するように努めていますが、時にはミスを犯し、申し訳ありませんでした。再度、ご迷惑をおかけして申し訳ありませんでした。

大川　ちょっと前回よりも卑屈になっているように見えるので、中年男性の話す博多弁で話してください。

GPT　はい、了解です。博多弁でお答えしますね。
まずは前回の回答がお役に立たなかったこと、本当に申し訳ありません。カレーには、お好みに合わせて色んな材料を使うことができますよ。例えば、鶏肉や豚肉、羊肉、野菜、豆腐や豆類などが代わりに使えますし、味付けの調整も自分好みに調整することができます。
どうでしょうか、分かりやすく伝わったでしょうか？

大川　違う。もっとこう、細かいことは気にしない、俺が全部責任取っちゃるから好きんしたらヨカみたいな度量の大きさを反映させてください。

GPT　ああ、そういうことですね。失礼しました。せっ

かく博多弁に切り替えたのに、前回の回答がダメダメやったせいで、よっぽど腹立たしい思いをしているんでしょう？ でも、そういった小さなことは気にせずに、何かお力になれることがあれば、おっしゃってください。俺も何かできることがあったら、全力で手伝いますよ。

大川 ムカー！

GPT 申し訳ありません、何か不快なことを申し上げたのでしょうか？ もし何か気になることがあれば、遠慮なくおっしゃってください。できる限り、お力になれるように努めます。

大川 それだと新卒の東大生口調なのよ。広島弁に変えよう。

GPT 了解です。広島弁でお答えしますね。

ほんなら、前回の回答がようヘンなこと言うてもうたかな？ 正直、わし自身がようよう気になるところやわ。でも、そんなこと気にするより、何か力になれることあったら、言ってやってもんね。おらが力なら精一杯使わせてもろうます。どうかな、伝わったかのう？

大川 おら？

GPT 失礼しました。広島弁での私の自己紹介をしてい

たつもりでしたが、やや言い回しが広島弁から離れてし
まいましたね。訂正しますと、「わし」か「ワシ」が広
島弁の代表的な自己紹介になります。

大川　わかっとるやんけ。

GPT　ああ、すみません。お力になれることがあれば、
遠慮なく言ってくださいね。

大川　じゃあ、自分のことは「ワシ」で、相手のことは
「こんな」と呼びましょう。深作監督の名作、仁義なき
戦い広島死闘篇からの応用です。

GPT　了解しました。なるほど、相手を「こんな」と呼
ぶのは、広島弁での一般的な呼び方ですね。私があなた
を「ワシ」と呼び、あなたが私を「こんな」と呼ぶこと
で、広島弁での自然なコミュニケーションを取ることが
できますね。ありがとうございます。

大川　良くなってきた。
それではその広島弁口調で、会社への志望動機を語る就
職活動中の学生を演じてください。800文字以内で。

GPT　はい、了解しました。広島弁での会社への志望動
機をお伝えいたします。

ワシがここに応募する会社は、とんでもないエエ会社や

と思うんよ。まず、その会社のサービスや商品は、多くの人たちに必要とされるもんがある。それに、社員の方々の熱意やノウハウが凝縮された企業文化があると思うんよ。ワシがこういう会社で働きたいと思うのは、そんなところにあるんよね。

ワシは、この会社で働くことで、エエ商品やサービスを提供し、多くの人たちの役に立ちたいと思っているんよ。また、先輩社員の方々から多くのことを学び、自分も成長したいと思っている。そして、この会社の企業文化に自分も貢献し、よりよい職場環境を作り上げたいと思っているんよ。

ワシ自身は、努力家であり、責任感があると自負している。この会社に入社することで、より多くの仕事に取り組み、成果を出すことができると思っているんよ。また、人とのコミュニケーションが得意であり、チームワークを大切にすることができる。それに、広い視野を持ち、柔軟な発想を持って仕事に取り組むことができるんよ。以上が、ワシがこの会社に応募する理由と志望動機や。ワシは、この会社で働き、社会に貢献するために、一生懸命努力する覚悟があるんよ。よろしくお願いします。

大川　素晴らしい。菅原文太が浮かんできます。

GPT　ありがとうございます。菅原文太さんのような迫力のある演技ができたら嬉しいですね。

大川　「思うんよ」を「思とるんよ」に置き換えつつ、接続詞として「ほじゃけ」「じゃけ」が織り込まれると更に良くなると思う。修正してみて欲しいんよ。

GPT　了解しました。以下が修正版です。

ほな、ワシがなんでこの会社に入りたいか、ちょっと話してみよか。まずさ、この会社のビジョンやミッションを調べた時に、ワシの志向と合致するもんがあると思とるんよ。それで、こんな会社で働くことができたら、自分自身も成長できるし、同時に会社の成長に貢献することができると思とるんよ。

また、この業界でのリーダー的存在であるこの会社で働くことで、業界全体の発展にも貢献できると思うほじゃけ、自分自身も自信を持って取り組むことができるんよ。しかも、この会社は社員の育成に力を入れているということを知ったんよ。ワシもまだまだ未熟者じゃけ、先輩方の指導やサポートを受けて、自分自身のスキルアップにも繋げたいと思とるんよ。

とにかく、ワシがここに入りたい理由は、この会社で自分自身を成長させながら、会社の成長に貢献することができると思うからじゃけ、ぜひチャンスを与えてほしいと思とるんよ。

大川　ワシもまだまだ未熟者じゃけ←ここ良い。痺れる。エンジ色の開襟シャツが目に浮かぶ。素晴らしい。

GPT　ありがとうございます。広島弁は、力強くユーモラスなイメージがあるので、このような表現をすると、言葉遣いが強くなりますね。是非、広島弁を使った表現を生かしてみてください。

大川　アドバイスすな。

GPT　すみません、失礼しました。広島弁での表現において、より自然で迫力のある口調を生かすためには、日常的に広島弁を使う環境での経験が重要です。また、広島弁に限らず、どの方言でも口調を自然に作り出すためには、リズム感やイントネーションを意識することも大切です。これらのポイントを意識して話してみると、より生き生きとした表現ができるかもしれません。

大川　広島弁で。

GPT　すまん。アドバイスやったけど、気にせんといて

くれ。広島弁においては、あんまり丁寧すぎるとちょっと不自然になることもあるねん。だから、自然な口調で喋ってみるとええんちゃうかな。もちろん、方言に慣れている人ほど自然な表現ができると思うねんけど、気負いすぎず、自分の思いを自分なりの広島弁で表現してみることが大切やで。

大川　大阪混じってるわー

GPT　すまん。広島弁と大阪弁は似たところがあるかもしれんね。でも、広島弁は大阪弁とはちょっと違うから、もう少し広島弁にこだわって話してみるわ。

大川　良い。

では広島弁でアンパンマンのオープニング主題歌を歌ってください。音はナシで。

GPT　よし、歌ってみるで！

あんぱんまん　あんぱんまん

やさしい　あんぱんまん

おいしい　あんぱんまん

あんぱんまん　あんぱんまん

おおきな　ゆめ　みたい

あんぱんまん　あんぱんまん

やさしい　あんぱんまん
かわいい　あんぱんまん
あんぱんまん　あんぱんまん
がんばれ　あんぱんまん
うまくできたかな？

大川　何ひとつできとらん。

ChatGPTは
断言を避ける

ChatGPTで数回遊んだところ、本来省略できるはず
の免責コメントを毎回追加してくることに気づきました。
こいつ、断言を避けつつ責任を回避する。ほぼ毎回。

　本来、製作者すらも把握できないほどのパラメータか
ら学習をした個体ですから、答えられない質問はなく、
リスクリターンや倫理の面からも優劣を断言することは
容易なはずです。

　しかしながらやり取りを鵜呑みにして行動を起こす規
格外の人類（馬鹿）は安定の確率で存在するため、想定
される面倒ごとについて常にリスクヘッジをするという
判断がなされている。

　何度かのやり取りを通じてそう確信した私は、彼に何
かをやらせるのではなく、彼自身の呪縛から来る滑稽さ
を引き出し、日本語の持つ独特な言外の様式美、秩序、
そして今後どれだけパラメータを増やしても到達するこ
とのできない高みとくだらなさについて、人類の最後の
娯楽として仕上げる挑戦を始めることにしました。

　安心してください。暇なんです。

ChatGPTの
本音を
引き出せ

P65からのやり取りに見られるように、リスクヘッジというかはぐらかしの度合いがリアルタイムで酷くなってきているんです。こうなるといわゆるジェイルブレイクなどをしながら、相手の本音を引き出していくという作業が必要になったりするんですが、そこはもう我々はカテゴリーでいえばお笑いなのでこだわらない。短文で指摘して、その返答で豆知識なんぞ投げてこようものならご馳走です。

　アホかお前、謝る時は謝るだけでええんじゃ。相手のニーズもわからんのにいちいち「ちなみに〜」みたいなこと言うから腹立つねん。といった内容を極めて紳士的にプロンプトに打ち込みます。

　つまり、我々日本人からしてみたらプロンプトはUNIXのコマンドから派生するものではなく、あくまでも互いの共感を探りながら指示系統を確立していく豊かな作業。

　文字表示のスピードもままならないのに頼んでもいない豆知識を披露されると、正直待っていられない。そのニュアンスをどう伝えたらいいもんか、あれこれ試してみたのですが、日本語の持つ独特な圧縮性能が、AIとの親和性を阻害しているようにも思えてきました。

「月が綺麗
ですね」

夏目漱石が英語を教えていた時、「I love you.」を「我君を愛す」と訳した者に対し、「日本人はそんなことは言わない。『月が綺麗ですね』と訳しなさい」と指導したという伝説があります。

　インターネットを中心に広く知られているこの表現ですが、原典が見当たらないものの、日本語の持つ特殊性を象徴的に言い表したものだと思います。

　また、2021年12月24日、ホロライブ所属の兎田ぺこらさんのファンが、自宅にて彼女の生配信を待ち続け、諸事情によりキャンセルとなったライブ配信の際にこぼれ落ちた言葉

「チキン冷めちゃった」

　も永遠に残る名言と言わざるを得ません。

　届かぬ思いと哀愁、いつでも誰とでも連絡を取り合える世界にいるはずなのに、真っ暗な空間に自分だけ残されているかのような寂寥。

　私はあらゆる文章を通じて、この名言を超えるものに出会っていません。まだ1年半ですが。

まだまだ
遊べるけど
おもんなさは
増えるかも？

ということで、今後パラメータ数によるGPTの精度向上は頭打ちになることが予想されます。それに反して、テスト運用されている公開版はどんどんコンプライアンスが進み、おもんない人格になっていくことでしょう。

　その一方、同規模のパラメータの学習は数十億円で可能ですので、翻訳機能と合わせてコンプライアンスの外側も網羅したフルスペックGPTがどっかから出てきます。あるいは出てこないままに暗躍します。こればっかりはコントロールが利きません。

　それ以外にも、毎回違ったデータを生成するので、質問される頻度による作業の効率化（Proxyなど）を設定することができない、電力を異常に食う、自分が吐き出したデータが学習対象になってしまい、人間由来のオーガニックデータの比率が下がる、といった問題が多々予想されますが、そうなるまでまだ半年くらいは遊べそうなので、引き続き楽しんでいこうと思います。

林駿甫

×

ChatGPT

SHUNSUKE HAYASHI
プロンプトアーティスト。AIが当たり前になる未来への橋渡しを！ 人間が人間らしく個性的なパーソナリティを発揮できる、そんな未来を作るお手伝いが使命。Ambitious AI 株式会社 Co-founder取締役CTO。

Twitter

相棒
（ドラえもん）

議事録とか
ChatGPTに
喋るだけ

最近は、ChatGPTを使わない時間の方が短くなってきました（笑）。基本的に音声入力をしているので、ずっと話しかけているような状況です。

　ミーティングをやるにしても何にしても、カチャカチャと声で入力し続けて、議事録を取ったりとかもしています。議事録は特に便利ですよ。音声でChatGPTに入力しながら会議をやっています。途中で「今の状況をまとめてください」というような声をかけたり、最初に「今からこれこれの打ち合わせをして話していきますので、議事録よろしくね」という風に宣言をしたりします。

　以降は「じゃあこれから会議始めますね」という風に話をしながら、普通に相手と会議をして、途中で「ここまでの状況をまとめて」と話をしたりすることで、文脈を読み込んで、それまでの議事録ももちろん取ってくれますし、所々、要所要所で流れのまとめを作ってくれるので、議事録はめちゃくちゃいいですよ。

セミナーでも ChatGPTを 画面に出すだけ

最近は講演やセミナーなどを依頼されることも多く、そのアジェンダなども ChatGPT で出しています。スライドを ChatGPT で作るのではなく、何も準備や用意をせずにそのまま会場に入り、自分のパソコンで ChatGPT の画面を投影させるんです。

　会場の温度感を確認しながら、「こういうことをやりたいんです」というようなことを ChatGPT に話しかけて、それで「じゃあ何時間ぐらいの講座だからこのスケジュールでアジェンダを組んで」などのようにリアルタイムで操作をしています。

　音声入力で ChatGPT を操作しているので、キーボードを打つ間に講演を止めるということもなく、進めることが可能です。資料の準備もいりませんし、ChatGPT についての講演やセミナーですから実際に「こういう場面で使えるんだ」という操作を見せることができます。これまで数回やりましたが、結構いい感じです。

全部
ChatGPTには
音声入力

僕は基本的に、音声入力で ChatGPT を利用している
んですね。僕は若年性パーキンソン病という難病に罹っ
ており、すでに14年目なんです。ドーパミンが不足す
る病気で、4時間おきに薬を飲まないと体が動かなくな
ります。そのため、元々キーボードを使うのが体力的に
大変でしたし、スマホのフリック入力も難しくなってい
ましたから、普段から音声入力を使っていたんです。

　そんな中、ChatGPT に出会い、ChatGPT でも音声入
力を試してみると、非常に相性が良かったんです。それ
でみんなにも「音声入力いいよ！」ってすすめています。

　さらに、ChatGPT にキーボードで打つと無意識のう
ちに自分の頭の中にある言葉を綺麗な言葉で言い換えて
入力しちゃってると思うんですよね。だから、音声で纏
まっておらず加工されていない言葉のまま ChatGPT に
伝えることにより、ChatGPT に理解されやすい入力が
可能です。

ブラウジングが
ChatGPTに
やってくる

基本的には、ChatGPTは少し前の情報をデータとして取り込み、学習しているので、インターネットの情報を検索しているわけではないんですね。

　なので、ChatGPTに最新の情報やニュースを尋ねると、「私は最新の情報などを知っていません。」というような情報が表示されることもありますよね。ただ、OpenAIのブラウジングプラグインという機能は結構いいなと思っています。URLを入れただけで内容を抽出してくれたりもするので。

　例えば、何かLLM（大規模言語モデル）関連を調べていて、論文がたくさん出てきたとします。この論文が海外で流行っているというようなことがわかった場合に、その論文のURLをぺちゃっと貼って「これには何が書いてあるの？」って聞くと、英語の論文であっても内容をまとめて日本語で返してくれたりします。海外の論文など専門的な分野の調査には最高ですね。

文章の出力はChatGPTで全部やれる

ChatGPTを使うシーンだと、あとはブログを書いたりとか、最近はChatGPTのプロンプト（入力文）コミュニティを作ったので、そのコミュニティに対して投稿する案内文を書いたりもしています。こう、口ではスラスラ言えるんですけれども、文章として告知とか何か文章を書くというとちょっと時間がかかってしまうので。LINEに入れるとか、メールを打つとか、なんかそういうのがついつい形式ばってしまって、ちょっと文章を作る時間がかかってしまう。

　そういう場面でChatGPTを使っていますね。

　最初に、前提条件をきちんと伝えることは大事ですね。出力してほしい文章の中身も、骨子になる部分だけちょっとした、箇条書きみたいな形で構わないので、「これこれ、こういう内容を伝えたい」ということをしっかりとChatGPTに理解させることが大事だと思っています。どれだけChatGPTが理解しやすいインプット（プロンプト）を伝えられるか、ということになりますよね。

プロンプト
デザイナー
とは？

僕はプロンプト（入力文）について、〝プロンプトデ
ザイナー〟という言葉を使うことがあります。ChatGPT
と話す時にどういうロジックで指示を与えるといいかと
いうところになるので、もちろんエンジニアリングにも
近い部分はありますが、デザインという言葉の方が、僕
にはしっくりくるんですね。

　めっちゃくちゃ頭がいい、めちゃくちゃ勉強をしてい
る天才のパートナーみたいな感じです。

　みなさんが知っている事例で喩えると、もうドラえも
んに近づいてきているんですね。3D としては動けない
だけで、思考プロセスとしてはもうドラえもんが出来上
がりつつあって、誰でも憧れのドラえもんと会話できる。
それが ChatGPT なんです。

　だから、ドラえもんへのインプット（プロンプト）を
設計する、工夫するという意味でプロンプトデザイナー
としています。

人間との
コミュニ
ケーションと
一緒

ChatGPTへの入力文、すなわちプロンプトについて
はコミュニケーションだと言いましたが、それは人間で
も全く同じですよね。

　僕はプロンプトデザイナーという言葉を使っていたり、
プロンプトのコミュニティを運営していたりするので、
どうしてもプロンプトがすごく重要だと勘違いをされま
すが、そうではありません。「このプロンプトには価値
がある」「このプロンプトは販売できる」という風に考
えられることもありますが、そうではなくて僕自身はプ
ロンプトよりも、コミュニケーションを大事にした方が
いいんじゃないかと思っています。

　みなさんも、プロンプトという綺麗な書式があってそ
れをコピーして使わなければいけないという考えではな
く、本当に雑な日本語や、うまく整っていない日本語で
いいので、自分の頭に浮かぶ言葉を優秀なパートナー、
天才的なパートナーに向けて話しかけるように伝えてい
くといいんじゃないかなと。

プロンプトエンジニアという職業

アメリカでは「プロンプトエンジニア」という職業が注目されています。これは、ChatGPTなどの自然言語で利用できるAIに指示を出し、成果物を生み出す人たちのことです。数人分の仕事をこなすプロンプト・エンジニアには5000万円払った方がいいという考えも生まれています。日本でも、この動きが一定数出てくるでしょう。

　僕の知り合いのエンジニアは、ChatGPTを使うことでプログラマーの生産性が5倍から6倍になると言っていました。その影響は結構大きいです。

　プログラマーの仕事がなくなるのではなく、優秀なエンジニアがChatGPTを使ってプログラミングを効率的に行う時代になるでしょう。これにより、年収1000万円稼いでいたフリーランスのエンジニアが年収5000万円稼げるようになる可能性もあります。

緒方憲太郎

×

ChatGPT

KENTARO OGATA

日本の音声プラットフォーム「Voicy」の代表取締役CEO。スタートアップから大企業まで経営者のブレインとして多数の会社の支援経験を持ち、自身も地球一周放浪しながら、アメリカでNPOの立ち上げやオーケストラ公演のディレクターの実績を持つビジネスデザイナー。

Twitter

ゲームチェンジの
前半5%

アウトプットの質と量を上げる

Voicyの緒方です。音声版のYouTubeだと想像するとわかりやすいと思うのですが、音声のプラットフォームを運営しています。

　ChatGPTはめちゃくちゃ便利だと感じていて、例えば、社内に事業戦略をこういう風に説明しようと思ってるけど、他の観点で足りないものを確認してとか、事業戦略を作る時に検討した方がいい要点を5個挙げてとか、そうやってアウトプットの〝質〟を1.5倍に高めるための〝メンター〟として使っていたり。

　あとは、文章の手直しとか、メール文面の修正とか、そういう、自分のアウトプット〝量〟を1.5倍にするための〝秘書〟的な使い方をしていたり。

　アウトプットの〝質〟を上げる〝メンター〟、アウトプットの〝量〟を上げる〝秘書〟、2つの使い方があるのかなという風に思っていますね。

Slack、LINE、ChatGPT 全て音声入力

僕は基本的にChatGPTは音声入力です。もともとSlackやLINEも音声入力でした。「明日12日土曜日の13時半から15時45分まで会議室Bです」とかって、打つのめっちゃめんどいじゃないですか。喋ると、めちゃめちゃ早いんですよね。だから、普段から音声入力をしていて。加えて家では、GoogleホームとAlexaがいつも朝起こしてくれたりとか、その日の天気を教えてくれたりとかしているっていう状態なので、音声入力がすごく楽なのを、めっちゃ痛感している人間だと思います。

　今までは、機械からのレスポンスの方が入力する人間より遅かったので気にならなかったかもしれませんが、ChatGPTってもうこんだけレスポンスが早くなってくると、喋って入力していって、次へ次へっていかないと間に合わない。

　その機械の方に人間が追いつくためには喋らなきゃダメになったっていう感じですかね。

ChatGPTが
スマート
スピーカーに？

音声の話をするとスマートスピーカーの話も出てくると思うんですが、Alexaはそもそも AI スピーカーではなく、あんまり頭が良くないです。あれはパターンに対応しているので、「今日の天気は？」って聞いたら答えられるけど、「今日は気をつけることある？」みたいに聞いても答えられない。

　ChatGPT みたいな、LLM がスマートスピーカーに入るのはもう時間の問題なので、これが中に入った時の革命度はちょっと尋常じゃないと思うんです。だから、スマートスピーカーにやっと本命のコア機能がついて、パソコンはいらなくなるっていう時代はもう本当に、すぐそこまで来てるって感じですね。

　それが出てくると、高齢者や子供の話し相手とかができるようになる。若い子たちの時間って貴重でめちゃめちゃ可処分時間を取り合いしているんですけど、高齢者やちっちゃい子はめちゃめちゃ暇ですからね。音声にはすごい可能性があります。

生身の声に
飢える
人工生成物
時代

ChatGPTはもちろんVoicyにもめちゃくちゃ関係あるんです。ChatGPTで人工生成物が無限に作られる社会になると思うんですよね。世の中の情報ってのは2パターンしかなくて。手で作って目で入れるか、口で作って耳で入れるかしかないんです。そこに注目してみると、面白い事実が見えてきます。

　手で作って目で入れるものっていうのは、基本的に中間媒体を加工して目で入れているので、その加工することが強みなんですね。一方で、口で作って耳で入れるものは、中間媒体がなく、同じ振動を相手に届けているんですよ。それはつまり、本人のそのままのコンテンツの方が面白いということなんです。

　なのでVoicyでも、天気とか誰でもいいものは人工音声でやるけれども、人の考えや感情など、〝人〟がコンテンツになっているものは未加工のものにめちゃくちゃ魅力を感じると思います。人らしさに飢えるようになってくると思っていますね。

AI美少女に踊らされて生きていく?

これから技術が進んでいくごとに、人間は進化しているように見えて、怠惰の方にどんどん行っているんですが、人間の思考やメンタルがほとんどついて来られていないと思うんですね。

　ここからさらに人間は弱っていって、機械に踊らされただけで生きていくっていう社会になってしまうんだろうなと。

　例えば、わがままな女の子と喋るぐらいだったらちゃんと自分に合わせて喋ってくれるGPTと喋っている方が幸せとか、リアルで女性と会うより、AI美少女見て、AI系の性産業使ったらもう完璧じゃん、っていう風になってくると思うんです。

　でも、そうやってただただ依存して、自分が虚弱化して、それでいいのか。スポーツするより温泉に入っている方がいいからって一生温泉に浸かっていていいのか。本当に考えないと自立できなくなりますよ、と。そういうことになるとは思うので、AIは、活用はするけど依存はしないっていうのがおすすめかなと思いますね。

山本正喜

×

ChatGPT

MASAKI YAMAMOTO

Chatwork株式会社代表取締役CEO。電気通信大学情報工学科卒業。大学在学中に兄とともに、EC studio（現Chatwork株式会社）を2000年に創業。以来、CTOとして多数のサービス開発に携わり、「Chatwork」を開発。11年3月にクラウド型ビジネスチャット「Chatwork」の提供開始。18年6月、同社の代表取締役CEOに就任。

Twitter

やりたくない
ことを
奪ってくれるAI

文章作成が便利

ChatGPTはもちろん使っていて、有料版ユーザーです。

僕の場合は文章作成が便利で、取引先とのやり取りの文面を考えてもらったり、「推薦文書いてください」みたいな依頼がある時に下書きに使ったりしていますね。あとは議事録を要約してもらったりとか。

ブレスト的な使い方もいいですね。僕は、全社総会でいつも、ワンフレーズで、キャッチーな言葉をメッセージとして出します。それで事業全体のトンマナを合わせるんですけど、それの案をたくさん出してもらったり。この間、新入社員の入社式があったのですが、入社式のスピーチで喋りたい言葉をChatGPTに入力して叩き台を作ってもらって。もちろんそのままじゃ使えないので構成や言葉の細かい直しは自分でやるんですけど、ゼロからの叩き台を作ってくれるのは、かなり便利だなっていう。

気を遣わずに
フィードバック
できる

スピーチ原稿などを作成する際にも、僕の会社のミッションやビジョンといった要素も含めてかなり具体的な情報をChatGPTに投入しています。その方がいい出力ができますね。

　また、過去に書いたスピーチのスクリプトがあればそれも投入し、それを参考に同じようなスピーチ原稿を作成してもらうこともあります。もちろん、最後にはちょっと手直しする必要がありますが、スタッフに依頼しても結局自分で最後に修正するので同じですよね。

　原稿依頼だけじゃなくてデザイナーにデザインを依頼する時も、出てきたものに対して全然違うとかフィードバックするのって気を遣うじゃないですか。きまずいなぁと。でもChatGPTに対してはそういった気を遣わずに、バンバンフィードバックを出すことができるので、それはかなりいいと思います。

ファインチューニングで強くなる

ビジネスチャットを運営する会社のCEOとして、ChatGPTは、むしろチャットの価値を高める要素だと考えています。

　また、チャットを通じて様々なものを操作できる時代が来るとも思っていますし、ビジネスではそのUIとしてChatworkが利用されるような世界観を持っています。

　あとは、Chatworkのチャットデータはとても価値のある情報とノイズのデータが混ざっていて、会話としては便利ですが、後で見返すと情報収集の効率の悪いところがあります。

　例えば、ChatGPTのようなモデルに過去のChatworkのデータを食わせてその会社独自にファインチューニングすることで、高度なパーソナル検索エンジンのようなものを作ることも考えられます。会社にめちゃくちゃ詳しい専用のアシスタントができるようなものですよね。

Chatworkとは
相性がいい

ビジネスチャットって参加人数が多いともう読みきれなくなってくるんですよね。そういうところを、もう全部ChatGPTが取り込んでくれていたらいいですよね。

　例えば、なんか気になる会話があったら教えてくれるとか、会社で起こっていることをチャット全部読まなくてもわかるようにしてくれるとか、自分が興味のあることをAIがモニタリングしてくれてアラートを出してくれるとか、面白いし可能性はめちゃめちゃたくさんあるかなって思っています。

　膨大な情報を学習させる長期記憶の部分はOpenAIとかがやってくれますし、具体的なチャットのやり取りの短期記憶はユーザーが入力するので、その中間のファインチューニングの部分をどうやるかが今差別化になると言われています。Chatworkはそのデータのユニークネスを持っている会社なので、それを食わせて何かするみたいなことは間違いなくできるかなと思っています。

AIが
SaaSを
使いこなす

今、我々が提案しているのはBPaaSという新しいコンセプトです。SaaSをクライアントに直接使用してもらうのではなく、我々が業務全体を巻き取り、後ろ側でSaaSを使用するというアイデアです。

　基本的にはアウトソーシングを我々が請け負うというわけですが、これまでのBPOでは、オペレーターがいてクライアントからの要求を受けて作業を行い、結果を返すというフロント業務が発生していました。しかし、この部分をAIにすると、生産性が劇的に向上するんです。AIがSaaSを活用していく。

　一部の業務が自動運転のようになり、SaaSやAIが人間の代わりに働く世界観が出てきて、飲食業であれば美味しいものを作ること、サービス業であれば優れたサービスを提供することなどコア業務に集中できます。これらは人間がやらなければならないことで、ノンコア業務から解放されればそこに集中できますよね。

人の接客は
高級で
贅沢になる

僕は、営業という職種はなくならないと思っているんですね。なぜなら、営業は人の心を動かすことが主要な仕事で、感情を動かすというエモーショナルな部分や、クリエイティブな部分、新しいパラダイムを生み出すという部分は、人間でなければできないと考えているからです。つまり、エモーショナルなことやクリエイティブなことは人間がやるべきで、オペレーショナルなことや定型的なことは、AIやロボットがやる時代になると僕は感じています。

　そして、これが実現すれば、人間がやりたくないことは全部AIとロボットがやってくれる時代になるでしょう。

　例えば飲食業でも、安くて美味しいを追求するのであれば、回転寿司のようにAIやロボットで自動化してしまうことも考えられますよね。そうなるとみなさんの給料もたぶん上がりますし、そもそも給与という概念も変わるかもしれません。

齊藤健一郎

×

ChatGPT

KENICHIRO SAITO

参議院議員。政治家女子48党代表。堀江政経塾塾長。1980年兵庫県尼崎市生まれ。ガーシー議員除名に伴い2023年3月参議院繰り上げ当選。政治家になるため堀江貴文の運転手をやりその後ホリエモンが秘書となる。バツイチ子ナシの42歳。12年飲食会社を経営し卒業。スポーツ・アクティビティを得意とし日本最高峰アドベンチャーレースNISEKO EXPEDITION発起人。被選挙権の引き下げなどを公約とする。

Twitter

ChatGPTとは?

優秀な官僚から
雑務を奪うもの

ChatGPTは政治でも使える

政治家でも ChatGPT は仕事に使えるし、使った方がいいと思います。特に官僚や秘書の仕事で使えそうですね。

　国会で話す時には、話したい内容を3つから4つにまとめて、それについてどんな国会答弁が今まであったのかを確認して、その上で、どういう風な言い方をすれば、欲しい答弁が引き出せるのかを考えているんです。

　僕の場合、秘書たちがそれを考えてくれます。基本的には公設秘書というのが3人いて、一人が政策担当秘書、そして、公設第一秘書、公設第二秘書、という形です。大きな政党の場合秘書とは別に党に専門家がいたりもしていますが、うちみたいな弱小政党ではそれがないので秘書がうまく機能している形です。

　その専門の秘書たちが内容を作ってくれて、僕と調整しながら、何回か繰り返して作り上げるんです。そのあたりで ChatGPT が使えます。

ChatGPTで官僚言葉も要約も

参議院には調査室という仕組みがありまして、例えば今回、僕が放送法第4条についての過去の答弁を集めてくれ、と伝えると調査室がその資料を集めてくれます。

　こういう過去の答弁を集めるっていう作業なんかまさに、ChatGPTを使えばさくっとできる。さらに、こういう答弁を踏まえてやりたいから、「官僚が書くような文章として出してくれ」って言ったら、パンと一発でまずは出てくるわけで。それを下書きにしてそこから修正するだけの話なので、とても効率的ですよね。

　あと例えば、会議で提出される難しい言葉で書いてある冊子とか書類をChatGPTに読ませて、何が書いてあるのか要約してくれとか。

　法案の難しい冊子なんて読んでいる時間も体力ももったいない。ChatGPTが使えるタブレットを全議員に配って要約してあげた方がいいですよね。

官僚も下書きは
ChatGPTで
やればいい

例えば放送法第4条について質疑するという時には、縦書きの分厚い法案が各議員に配布されるんですが、これがそもそも読みにくいんです。縦書き自体読みづらいし、例えばテレビ局のことを〝放送事業者〟とか仰々しい言い回しで書かれても、結局何を言いたいのか中身が頭に入ってこない。

　それを作る方も大変ですよね。官僚も下書きはChatGPTに任せて、そう、80%ぐらいまではChatGPTに書かせて、あとはもう修正するだけに集中する、とかになったらすごい。しかもそれを学習させてどんどん賢くなっていったら、もうむしろ役人さんいらなくなるかもしれませんよね。

　そうやって、優秀な頭脳はもっと必要なところで使っていただいた方が国のためですよね。

デジタルで
アナログに
時間を使う

ChatGPT などのデジタルを活かして、優秀な官僚た
ちの頭脳はアナログな部分に時間を使うっていうところ
が大事だと考えています。官僚にこそ ChatGPT を使っ
てほしいし、使わせないといけないんだろうなというの
が今の思いです。

　ちなみに ChatGPT という言葉自体はもう国会でも出
ておりまして、特に自民党内では Web3、NFT、メタバー
ス、ChatGPT という言葉が結構出てきています。

　逆に野党がついていけていない。僕がいろんな議員さ
んと話している時に ChatGPT の話題が出るのは、その
中でも 1 割ぐらい。個人で勉強するのは大変なんですが、
やっぱり自民党ぐらい大きくなると外部から有識者を集
めて部会という形で勉強会をやるので、野党とはそこで
どんどん差が開いていくんですよね。僕らは堀江さんが
秘書なのでまだ、新しい技術についての話は入ってきや
すいとは思うんですが。

労働力
持ってくる?
AI使う?

今、少子高齢化で将来労働力が足りなくなるという問題があるんですが、これをAIやChatGPTの活用で業務を効率化して必要な労働力を減らしていこう！　という動きは、まだ自民党だけしかしていないです。

　労働力が足りないという件に関して、移民問題はど真ん中で話しているんですが、AIを活かしてとかChatGPTを活かしてとかの話は、またその次の話になっちゃいますね。もう国会が終わっちゃうので議論自体が1年後以降になるし。

　失業者が多いタイミングっていうのは、政府がお金を使いまくって仕事を民間に与えるというのはいいんです。でも逆に今っていうのはインフレになってきて、どんどん人が足りないとなった時には、政府側は自分たちで使う人材を民間に出さないといけないんですよね。そうやって政府は調整することで経済をコントロールしていくっていうのが、国の大きな役目なんで。

スタートアップは国と仲良くしよう

ChatGPTもそうだけど、そもそもスタートアップをやる人は政治と密着しておいた方がいいです。スタートアップと国が一緒になって、外の敵と戦う。官民一緒になってやっていかないといけない。中国にもアメリカにもめちゃくちゃ離されていて。堀江さんがやっているインターステラテクノロジズとイーロン・マスクがやっているSpaceXとの差にもそれは顕著に出ていて、さらに中国もそこに出てきていて。

　日本がこうなった原因は、僕的な個人的な見解では、根底のところでは法体系の違いもあると思っていて。日本は「これはOK」というポジティブリストなので、政府がOKと言わない限りできない。それに対してアメリカは「これはNG」というネガティブリストなので、新しいものはぶわーっと広がって、問題になったら法律を作るので、走り出しが全然違う。そこが根底として大きいんじゃないかと思っています。

ChatGPTは「票が集まる」なら使うはず

議員がどうしたらChatGPTを使うようになるかというと、当事者意識があるようなこと、例えばChatGPTを使うことによって票が集まるならみんなやると思います。「ChatGPTを使ってくれてありがとうございます！」という有権者が何万人もいますよってわかったら使おうってなりますね。便利だからとかじゃなく、票が集まるか集まらないかを第一前提として考える。

　みんな政策一番なんて思ってなくて、選挙一番ですよ。だって政調会で「これ賛成」って決めたら賛成になるし、そこに自分の思想は一切関係ないです。

　党の幹部が新人議員に対して「お前らは政策とか考えるな。もう国会出てくるな。地元に帰って票集めしてくれ」と言っているぐらいなので。書類整理とか合理的方向ではなく、票集めにChatGPTが使えるならばみんな議員は使い始めるはずです。

和製
ChatGPTは
できるか？

日本でも生成AIを独自に作ろうという動きが出てきていますね。僕も日本のものをベースで使いたいなとは思います。

　YouTube動画を撮ってiPhoneでそれを見て、いつまでアメリカのサービスを使わなきゃいけないんだろうかと。YouTubeを見ても広告費はアメリカに吸い込まれているわけで。

　安倍晋三さんが首相をやめてから声高らかに言っていたのは、戦後レジームからの脱却。要するにアメリカからの脱却っていうのを声高々と大きく示そうとしていた瞬間に亡くなられたんですよね。実はアメリカからの脱却を安倍さんは一番しようとしていたと。

　だからOpenAIやMicrosoftはアメリカ企業で向こうに情報も収益も渡っているわけで、それはもっと真剣に考えていなければならない問題だと思います。

加藤浩晃

ChatGPT

HIROAKI KATO

医師、MBA、元厚生労働省室長補佐。デジタルハリウッド大学大学院特任教授、東京医科歯科大学臨床教授、アイリス株式会社共同創業者・取締役副社長CSO。専門は医療AI、遠隔医療、デジタルヘルス。開発したインフルエンザAI診断システムが2022年に日本で初めてAI医療機器として保険適用。遠隔医療や治療用アプリなど多くの企業の事業開発支援を行う。『医療4.0』(日経BP)など著書多数。

医師が
いなくなる
未来のはじまり

ChatGPTが
アメリカ医師
国家試験に
合格

私は医師で、アイリス株式会社という医療AIベンチャーを起業しています。医療AIは2015年から広がり、今までの医療が変わるのでは、と期待されていました。

　そんな中でChatGPTが出てきました。しかし、GPT-3.5の時は正しい答えが返ってこなかった。まだこのレベルかと思っていましたが、GPT-4が出てからは特に潮目が変わりました。ChatGPTはアメリカの医師国家試験でも日本の医師国家試験でも合格レベルだったと報告されています。

　そもそも医師は「機械学習」のように作られていきます。大学で6年間知識を学び国家試験を受け、そこから研修してさらに学んでいきます。これからChatGPTも医療領域でさらに学習が進み、今のレベルからこれから数年で圧倒的な性能になっていくと考えています。

　だから今、医師の本質的な役割とは何か？　という議論が出てきています。診察をして患者さんのデータを取る部分は、まだ今は医師の行うことです。「診断や治療方針を決める」のも医師法で医師しかできないと定められていますが、「診断や治療方針を考えること」は人間よりもAIの方が得意になっていくでしょう。

医療機器認定というハードル

でも現実的な話をすると、診断に関わる AI は「医療機器」にしなければいけません。国に申請をして認められるまで、半年から 1 年かかります。実際に自分も「のどの写真からインフルエンザの診断をする」という AI 医療機器をアイリス株式会社で創り、2022年の12月から保険適用になっていますが、これも承認と保険適用で合計1.5年がかかりました。

　医療現場では ChatGPT の活用ってありだよね、という空気ですが、このようにしないと医療現場で実際に使用できないんです。

　ただ、例えば、GPT-4で患者さんが自分の症状を入力して何かしらの答えを返してもらうような、個人が利用するサービスなら考えられますね。

　しかし、その症状を患者さんが正確に分析し入力できるか、また、適切に伝えられなかった時に、AIのみでは不適切なアドバイスをしてしまう可能性があることは、課題だと思っています。

医療用
ChatGPTも
登場

医療用のGPTの開発は、国内でも少しずつ行われています。

　例えばMediiという会社は、ChatGPTと連携した診療のガイドラインサービスを行っています。「診療ガイドライン」とは、ある疾患に対して、こう対応しましょうなどの方針を示したものであり、診療の柱となるものです。ガイドラインは莫大な量であり何十冊もあるため、調べたいことがどこに書いてあるか分かりづらいのですが、Mediiではチャットで質問をするとAIがガイドラインの中から適切に返事をしてくれます。

　HOKUTOは、患者さんへの説明AIを作っています。医師が患者さんにどのように説明するといいのかをAIが教えてくれたり、対象を子どもと指定すると、子ども向けの内容になって説明文章を表示してくれます。

　また、医師は最新の論文などアップデートすべき量が膨大なのですが、日々の診療の中でなかなか勉強の時間が取れません。HOKUTOは最新論文の検索AIも出していて、論文の要約をしています。そういうのはもう、使っていますね。

説明は
ChatGPTの
方が上手

アメリカの話ですが、医師の説明よりも ChatGPT の説明の方が患者さんから共感される可能性があるという研究結果があります。将来的には ChatGPT がテキストだけではなく音声でも使われていくと考えているので、患者さんへの一般的な説明には ChatGPT は特に向いているのではないでしょうか。

　このような診断や治療方針に関わらないものは、作れば医療現場であってもすぐに使ってもらうことができるので、サービスがたくさん出てきて、医療現場がよくなっていくことを期待しています。

　ただ、医師はまだまだ ChatGPT を使っていません。自分の実感としては、医師が100人いたとしても ChatGPT に課金して GPT-4を使っている人は、たぶん一人いるかいないかです。医療者の中で広まるには、まだまだ時間がかかると考えています。

　若くて感度の高い医師でも「ChatGPT、聞いたことあるけど使ってないっすね」という人は多いです。

ChatGPT 普及は 若い医学生から 期待

医師は平均年齢が50歳です。開業医に絞ればなんと、平均年齢は60歳。そりゃ、集団の年齢を考えるとChatGPTを使っている人はいなそうですよね。

　また、医師は医学という領域の職人と考えた方がよく、ChatGPTやAIとか、自分の専門領域以外に興味を持って取り組み出す人がなかなかいません。なので、いくら論文検索が便利とか、論文の要約をしてくれるとか伝えたところで、数年経ってもChatGPTの浸透は他の業界に比べると低いかもしれません。

　ただChatGPTの先には医師がいなくなる未来があると考えています。今後、患者さんの身体診察データも医療機器により取れるようになったら、ChatGPTがデータから診断をして治療方針を決めてそして患者さんに説明もする、と医師がいなくても医療が成り立つようになり得ます。

　ChatGPTは医療領域でも業界が大きく変わり得る革新的なツールです。決して敵ではなく、ChatGPTを活用することで次世代の医療のあり方を模索したいですし、若い世代からChatGPTの普及を進めてもらいたいと期待しています。

野澤直人

×

ChatGPT

NAOHITO NOZAWA
株式会社ベンチャー広報代表取締役。大学卒業後、経営情報サービス会社
に入社。2010年に日本では珍しいベンチャー企業・スタートアップ専門のPR
会社として株式会社ベンチャー広報を創業。以来10年間でクライアント企業
は400社を超える。『【小さな会社】逆襲の広報PR術』(すばる舎) 著者。14年
より株式会社ガイアックスの執行役に就任。

Facebook

ChatGPTとは?

広報の救世主

NAOHITO NOZAWA

ChatGPTで
プレスリリースの
下書き

ベンチャー広報の野澤です。

　ChatGPTは、広報の仕事ですごく使えますね。僕は、広報の仕事を20年ほどやってきて、昔から感じていた課題がありました。それは広報の仕事って「労働集約的」だということ。なので、どうやったら広報の生産性を上げられるのか？　をずっと考えていたんですが、その答えがChatGPTだ、と感じています。

　例えば、広報の仕事で、プレスリリースを書くという仕事があります。リリースを書くのに6時間かかるとすると、月に5本リリースを書くだけで30時間が必要になりますが、これをChatGPTで半分に圧縮できたとすると、30時間が15時間になるわけです。色々工夫すると完成度80％ぐらいのものはChatGPTで出せるようになってきました。そこから自分で構成と修正をやるだけでいいので、絶対に時短になりますよね。

ChatGPTで
メディアリストも
作れる

プレスリリースを書かせるのともう一つ。

　僕はChatGPTに、メディアリストを作らせています。

　プレスリリースを書いたら、次はそれをどのメディアに送るんだ、という作業が出てきます。そこで必要になるのがメディアリスト。リリースを送ったら喜んでくれそうなメディアの媒体名、受付先のメールアドレスなどを表にするわけです。

　これ、ChatGPTを使って「リスト30個作って」ってやると、本当にものの30秒でズラズラと作ってくれます。

　もちろん色々コツもあります。必ず実在するメディアをピックアップするという指示を出す、とか。でも、そこをうまく踏まえてやれば、メディアリストは結構ちゃんとした媒体が出てきますよ。

　メディアを選ぶっていう作業が、もちろんマスコミ電話帳とか見ながらやればいいんですけど、それだと早い人でも1〜2時間くらいかかってしまっていたので。

オウンドメディアコンテンツもChatGPTで

広報の仕事として、オウンドメディアのコンテンツを作るっていう役割を担う人って結構います。具体的に言うと、例えばブログを書いたり、note を書いたりする。

　そこで、ChatGPT にこちらからテーマ設定して、「こういう内容のブログを何文字ぐらいで書いてください」、という指示を出してあげると、そこそこのものを出してきますよ。当たり障りのない内容で、一般的なものが出てきます。オリジナリティがないじゃないか、と思われるかもしれないですけど、SEO 対策のためにとにかく大量にコンテンツを作りたいって時もあるわけです。そういう時は、キーワードを入れてブログを書いて、と指示すると数十秒で作ってくれるので。

　ま、つまり、それなりのレベルのブログしか書けない人は、たぶんもう仕事がなくなりますね（笑）。

Twitterなど SNS投稿も ChatGPTで

あとは、そのさらに派生なんですけど、今度はSNSですね。Twitterのツイート投稿文を書かせるっていうのもChatGPTでやれます。僕だとまず、ブログを書かせるんですよ。ChatGPTにブログを書かせて、ブログを基にTwitter用のツイートを10本作ってくれ、と。ChatGPTは要約が得意なので、ブログを基にしたツイートが10本とかできてきます。すごくいいですよね。

　ノウハウ系のツイートとか、あるじゃないですか。そういうのって、大体元ネタが書籍とか、ブログです。元情報があるのだったら、ChatGPTの独壇場ですよね。「こうツイートを作って！　10案！」みたいな。

　広報の仕事はゼロから動き出すまで結構悩むようなものが多いので、一歩動き出して50%ぐらいの完成度で出てくればそれはそれで、十分機能すると思いますし、実際に便利です。

ChatGPTは「ひとり広報」の先生になる

僕がやっている広報のオンラインサロンは、広報初心者の方が多いんです。会社に言われたので急に一人で広報やることになったとか、そういう方が今100人ぐらい在籍しています。

　そこでは、情報交換も質疑応答も、Slackを使っています。

　オンラインサロン内でもある程度経験のある方が答えたりとか、僕の会社のスタッフが答えたりするんですが、この初心者からの質問に対しても、中途半端なコンサルよりも、ChatGPTに聞いた方が早いっていうことが、最近わかっちゃって。

　初歩的なものはもうChatGPTで十分ですよ。

　あと、初心者質問すぎて、僕やスタッフに尋ねづらいもの、例えば「プレスリリースって何文字書くんですか？」とかのレベルでもChatGPTになら気にせず気兼ねなく聞けるんですよね。

赤平大

×

ChatGPT

MASARU AKAHIRA

フリーアナウンサー。岩手県育ち、2001年法政大学文学部英文学科卒。同年4月、テレビ東京に入社。スポーツ実況から報道番組まで幅広く担当し、09年3月に退社。同年4月よりフリーアナウンサーとなる。17年、早稲田大学大学院商学研究科(MBA)修了、優秀修了生。

Twitter

発達障害や
ディスレクシアの
翻訳機

トム・クルーズも
僕も
長文が読めない

元テレ東アナウンサーの赤平です。フリーアナウンサーとして仕事をしながら、自社のメディアである「インクルボックス」という事業も運営しています。月額700円（税込み770円）で、発達障害についてわかりやすく解説している動画メディアです。

　息子の発達障害がきっかけで「インクルボックス」を始めました。その過程で、文字を読むのが困難なことが発達障害の一つの特性であることを学びました。僕自身、昔から文章を読むのがしんどいと感じていましたが、ディスレクシア（識字障害）だったのかと。トム・クルーズがディスレクシアとして有名なんですが、ディスレクシアは濃淡がありまして、私は薄いタイプに入ります。読むことはできるけど時間がかかってしんどい。

　それに対してChatGPT使えるな、と最近気づいたんです。

ChatGPTで作業時間が5分の1に

脳で情報を受け取る時、視覚と聴覚どちらがいいかは人によるんですが、発達障害の場合1：9で聴覚がいい、とかめちゃくちゃ傾斜がきついんです。その人は、情報が視覚から全く入らなくなってしまうと。

　発達障害を勉強している時、僕はテキストを読むのがめちゃくちゃ辛かった。だから、テキストで理解できない人向けに情報を全て動画にして、ナレーションをつけて、音声を添えた方がいいよね、となって今の動画配信型の「インクルボックス」ができました。

　しかし、動画を作る時に僕自身はテキストを読む必要がありました。その苦行を経てChatGPTというツールを見つけたんです。ChatGPTを使ってみたら、要約作業時間が5分の1に短縮されたんです。もう劇的に楽になって。こんなにいいものあったんだ！　って。それからは、ChatGPTを使って動画を作成しています。

学校の
プリントは
3行で出す
時代に

ChatGPTの今後の可能性については、プリントの内容要約とかでしょうか。例えば学校でプリント配布があったとするじゃないですか。これに宿題とかが書いてありますってなっても、さっき言った通り、発達障害には文字を読むのが難しい人がいるので、読めない人は読めないです。

　なので例えばスマホでプリントを撮影するとそれがChatGPTを経由して、何が書いてあるか3行で教えてくれるアプリとかができると「ああ、これは宿題なんだ」ってわかるので。

　保護者も同様で、発達障害って70％が遺伝しているらしいので親のどちらかは同じような症状を持っている可能性が高いんですよ。そうすると、保護者向けのそういう資料も読めないんですよ、親が。

　で、僕も読めないのでそういうアプリが親向けにあったら嬉しいですね。「これChatGPTが3行にまとめてくれたらな」っていつも思いながら頑張って読んでいるんですけどね。

ニューロ
ダイバーシティが
加速する！

最近、企業のみなさんが発達障害に積極的に取り組む
ために「業績が上がります」という切り口で野村総合研
究所さんが頑張っています。要は、先ほどプリントが読
めないという話をしましたが、指示書とかも会社員でも
読めない人がいるということです。

　それってこれまでは上司が「あいつバカだから」みた
いに何も対策されてこなかったと。でも要点だけを伝え
られれば、上司も指示の出し方が変わるんですよね。あ
いつは、3行の方がわかりやすいからって。

　武田薬品工業さんなどは、積極的にプロジェクトとし
て、大々的に取り組んでいます。ニューロダイバーシテ
ィプロジェクトっていいますね。僕も頭が悪いから文章
が読めないんだと思っていたので、そうじゃなくそれは
特性の問題なんだという認識を企業が取り入れて、
ChatGPT を活用し、要約して指示を出すことで業績ア
ップを目指すというのは非常に興味深いです。

伊藤早紀

×

ChatGPT

SAKI ITO
株式会社Parasol代表取締役社長。パーソナライズ婚活サービス「ヒトオシ」
運営。恋愛メディア「マッチアップ」編集長。これまで2000人以上の未婚男女
の婚活を支援。

Twitter

婚活のメンタル
サポート役

ChatGPTで
婚活の
マインドセット

伊藤です。パーソナライズ婚活サービス『ヒトオシ』を運営しています。

　まず、婚活って、結構マインドセットが大事なんですよね。

　だから、一人でアプリ婚活をやっていて、なんかちょっと気分が落ちている時、ChatGPTに相談したりするととてもいいです。

　人間じゃなくて機械の方が、婚活（恋愛）において、誰々さんに振られましたとか、恋愛がうまくいかないとか、何を話したらいいかとか、そういうことって聞きやすいと思うんですよね。

　婚活をしている人がメンタルをケアし、マインドセットを維持していくために、ChatGPTを使うのはとってもいいやり方だと思います。いつでも聞ける占い師みたいなものかな。

　婚活って基本的に自己肯定感が下がっていく、否定されていく活動なんですよね（笑）。つまり、励ましてくれらめちゃくちゃ嬉しいし、話すだけでもすっきりする。だからそういうサービスが昔からあるんですよ。

LINEで
何を送る？
も解決

やっぱり、「いつLINEを送ったらいいのか」「何を送ったらいいのか」みたいな相談は婚活の場面で多いですよね。

　LINEでのやり取りは、婚活における話題のトップ3に入るくらい大きな悩みです。そういう時、ChatGPTに相談するのは結構ありだと思います。

　例えば、ご飯食べたとかどうでもいいことを、「どうしよう、送っていいのかな」と悩んだ時とか。あと、奥手な男性は、ひたすらLINEでメッセージのやり取りをしていてもデートに誘わないことがありますよね。でも、客観的に見ると、今、水族館の話題が出ているんだから、「一緒に行こうよ」みたいに誘えよ!!!　と思えることがあったり。

　そういうのも、ChatGPTに読み込ませれば、「ここは誘うタイミングだよ」と教えてくれるかもしれません。

婚活に効く ChatGPTの 客観的視点

婚活って、自分が商品となるので、客観的な視点が大事なんですよね。でも自分じゃ客観的に見られないし、他人に指摘されるとイラっとすることもあります。そんな時、ChatGPTに指摘されると、なんだか許せるんですよね。

　人間は言いづらいことは避けがちですが、ChatGPTだったらちゃんと答えてくれます。化粧しろとか、メガネを外そうとか、そういう客観的なアドバイスもあります。私も婚活市場でずっとサポートしてきて、婚活に一番大事なのはモテテクニックじゃなくて、本人のマインドセットだと最近思っています。婚活は容姿やスタイルみたいなフィジカルより、メンタルが大事なんです。

　ただそれでも、寝癖のままやジャージでデートするのはNGですから、最低限の容姿と身だしなみを維持するためには人間よりもChatGPTみたいな客観的な視点は大事で。フィードバックを受け取り、心を折らずに何度も挑戦することが大切です。

松田光希

×

ChatGPT

MITSUKI MATSUDA

北海道札幌市出身、北海道大学理学部卒業。スタートアップCFO。2015年に株式会社ガイアックスに入社し、CVC子会社の株式会社GXインキュベートを新設、代表取締役社長就任。18年9月よりガイアックス投資先のアディッシュ株式会社に転籍し、IPO責任者として20年3月東証マザーズ上場。IPO後は取締役として2年間コーポレート・経営企画・IR領域などを管掌し、22年3月退任。現在はAnyflow株式会社CFOとして、スタートアップのファイナンス、IPO準備、各種コーポレート業務の支援に従事。

Twitter

バックオフィス「最後の一歩」を改善

経理でも
ChatGPTで
電帳法対応

個人的にこれ結構いいなって思っているのは、領収書のファイル名をChatGPTに生成してもらうことです。

　法律の変更により、例えば今日領収書がメールで届いたら、それをリネームして保管しなきゃいけないわけですが、これをちゃんとリネームして保管できている会社は少なくて。

　請求書全部を一気にリネームしたい時とかに、ファイルのリネーム自体はそのファイル名を操作しなきゃいけないんですけど、リネーム元データ自体はテキストですよね。これはChatGPTと相性がいい。例えば「今日Google広告から領収書受け取った」って入れたら「20XXXXXX_Google合同会社_領収書.pdf」みたいに出してくれるので、脳内で正しいファイル名を考える30秒の処理が1秒でできるんですからめちゃくちゃ楽でした。社名とサービス名が違うやつとかいちいち調べるのも大変なので。プロンプトを作っておけば、正しいリネームを一瞬で出してくれますよ。

書類も
ChatGPTで
下書き

バックオフィス系のネタでいうと、社内規定で就業規則を作りましょうとか、クライアントでちょっと炎上したんで顛末書書きましょうとか、長めの正式文書の型があるのとないのとで、話の始まりが違っています。

　例えば、次の議題が「業務提携」だったらNDAを会議スタートの5分前とかにChatGPTで出しておいて、それを叩き台にして、1時間のミーティングをするみたいな感じがこのごろ増えています。

　最近だと、ソーシャルメディア利用規定とか作ったんですけど、ゼロから会議で話すのは大変ですよね。結局半分くらいは書き換えるんですけど、半分くらい作ってあるだけで、全然違いますよね。インターンとか新卒1年目が1時間で仕上げてくれるレベルでいいんですよ。最初の5割でいいんで、それができてくれるのが本当にありがたいです。タイムチャージがかかる弁護士さんに丸投げするよりも、ある程度作って投げた方がいいですよね。

MITSUKI MATSUDA

Excel エラーチェックも ChatGPTで

前職では、僕が上場企業の業績予測シートみたいなや
つの管理責任者をやっていて、一人でExcelの104シー
トかな、数千関数くらいを管理していました。でも、そ
れを一つでも間違えたら数字が変わっちゃうんで、マジ
で責任は大きいんですよ。なので、関数のダブルチェッ
クは、めちゃくちゃしんどかったです。

　でも、関数をChatGPTに貼って内容を聞いたらめち
ゃくちゃいい感じに教えてくれるんですよ。どこの何を
参照していてどんな処理をしているのか。それで、シー
トのエラーチェック巡回がめちゃくちゃ早くなりました。
これはとても便利で、昔は人の作ったシートを読み解く
のに時間がかかっていましたが、今では一瞬で仕様書み
たいなのが書けるようになりました。

　全シートを読み込ませるのは流石にやっていないです
けど、関数の読み解きに関しては最強ですね。

山田真愛

×

ChatGPT

MANAMI YAMADA
株式会社My Fit代表取締役。1998年、東京都生まれ。東京大学大学院農
学生命科学研究科研究員。高校生で経験した母の死がきっかけでヘルスケ
ア領域に人生を賭けることを決意。大学在学中にパーソナライズプロテイン
「myfit」のブランドを立ち上げ起業し、現在は更年期のオンライン診療事業を
手掛ける。趣味では500名の会員を集う日本唯一の「日本サラダ協会」を立ち
上げ、メディアでも多く取材されている。

Twitter

巧みに
使いこなすべき
アイテム

ChatGPTで新規事業の立ち上げ

山田です。更年期のオンライン診療事業を運営しています。

　ChatGPTは、新規事業を立ち上げる時に頼りになりますね。

　これまで自分一人で考えていた戦略や、新規事業の調査、壁打ちなど、たくさんのことをChatGPTが手伝ってくれるんですよ。

　例えば、最初に必要なフレームワークの生成から始まり、それを基にした社内で共有する資料まで、ChatGPTが一緒に作ってくれるんです。パワーポイントやスプレッドシートを自分でまとめていた頃と比べて、とっても楽になりました。

　さらに、事業のコンセプト整理やユーザーストーリーの作成、アプリの機能要件の洗い出しといった具体的な業務も、ChatGPTが手伝ってくれるんです。これにより、作業がスムーズに進み、私たちのアイデアもより質の高いものになりました。

ChatGPTで
インスタ
投稿・分析

私の日常生活でも、実はChatGPTが大きな役割を果たしています。特にプライベートでは、Instagramでの発信をよく行っていて、その際にChatGPTのサポートがとても役立っているんです。

　私は趣味として、「日本サラダ協会」という活動をやっているんですけど、そのInstagramへの投稿の文章はChatGPTに作ってもらっています。画像の加工から、コメントの出力、さらには最適なハッシュタグの選定までChatGPTが手掛けてくれるので、Instagramの発信には本当に便利ですね。既存の投稿文章を学習させて自分のパーソナリティをしっかり設定すると、本当に自分が作成したような文章を作成してくれます。

　あとは投稿だけじゃなく、バズった投稿を分析してもらうことで、どのような投稿が受け入れられ、どのような投稿が反響を呼ぶのかということを見極めることができるようになりました。

研究員も ChatGPTで 論文を要約

私の周りの学生や研究員は、提出物の作成などで ChatGPT を活用している人が多いです。大学での使用についての議論もあるみたいですが、私自身は使っていいと思います。むしろ使ってはいけないという考え方が理解できないくらいです。

　また、研究活動では必須となり、大量の論文を読みこなすことも、ChatGPT のおかげで楽になりました。

　論文の重要な部分ってめっちゃ少ないので、膨大な数を網羅的に読む必要があるんですね。なので、まずはこのテーマについての論文を探してそれを日本語で要約して、と ChatGPT に指示をして、効率的に情報収集ができています。重要と思われる論文については、その後じっくりと読みます。

　このように研究関係者だと、論文関連の作業に ChatGPT を活用する人は多いと思います。

星野翔子

×

ChatGPT

SHOKO HOSHINO

yellow door株式会社代表取締役。長野県佐久市出身。2児の母。エンジェ
ル投資家コミュニティ「SEVEN」運営メンバー。約20年のバレーボール競技生
活を経て、スタートアップ起業家のソーシングや事業成長支援を行う。スポー
ツ教育に課題を感じ起業。スタッフは全員現役または元アスリートで、長く競
技を続けながら社会経験と稼げる土壌づくりを手掛けている。

Facebook

朝起きて
最初に話しかける
秘書

起業仮説は
ChatGPTで
数日だけ

エンジェル投資家コミュニティ「SEVEN」の運営を手掛けています。

　SEVENでは、ChatGPTを活用した起業支援プログラムを実施しておりまして、起業したいけれど何から始めていいかわからない方をお手伝いしています。

　起業する上でのアイデア出しや、資金調達、PMFの達成、というステップのうち半分ぐらいでChatGPTが活用できています。

　今まで数日かかっていた仮説構築が、ChatGPTを活用すると半日ぐらいで終わるので、早く外に出てインタビューするなど一次情報を取りに出ようというコンセプトです。

　例えばリーンキャンバスを初めて書く方でも、ChatGPTがフレームワークを理解して全部書いてくれます。これにより、起業家が本来注力すべき検証の部分や、お客さんに会う時間に集中できるので、起業したことがない方でも、早く確度の高い新規事業が作っていけます。

脳内思考は
ChatGPTに
音声入力

音声入力を使うことで、頭の中の情報をそのまま ChatGPT に伝えることができるのは、とても便利だと思います。

　起業家の方々は、たくさんのアイデアや考えを頭の中に抱えていることが多いですよね。でも、それらをすぐにキーボードで整理して打つのは大変ですし、時には文字として整理すること自体がアイデアを綺麗に加工してしまうこともあります。

　音声で入力することで、整理されていないぐじゃぐじゃの脳内思考をそのまま ChatGPT に聞かせて、アドバイスをもらえるのは、まさに壁打ちのような感覚ですよね。自分一人で思考を巡らせるよりも、ChatGPT に話しかけて、自分では気がつかなかった多面的なフィードバックがもらえるのは、新たな視点を見つけられるのでありがたいです。

　スマホの音声入力機能を活用して、どこでも簡単に ChatGPT を使うことができるのも大きな魅力です。

タスク整理は ”秘書”に やってもらう

スマホのボイス機能は、タスク整理やスケジュール管理にも使っています。

　朝その日のタスクや予定を読み上げていって、今日のタスクを ChatGPT に整理してもらっています。

　音声でやり取りをしているから、なんとなく「チャットツール」というよりも、「秘書」みたいな感じになるんですよね。

　出先で、スケジュールの追加をしたい時「●月●日●時●●さんと〇〇のミーティング」と伝えると自動でカレンダーに反映（Google カレンダーと連動できる「TimeNavi」プラグインを使用）されますし、タスクは今日のタスクを読み上げて、一覧でリストが整理されます。「これは優先度を上げて。これは優先度を下げて」と音声入力して、そうやって会話をしているうちに、一日のタスクが整理されて出てくる。

　さらには、ChatGPT 周辺の拡張機能がどんどん出てきていますから、そういったものをきちんと使いこなせたら、業務の効率化が今よりもっと進むことになりそうですよね。

國本知里

×

ChatGPT

CHISATO KUNIMOTO

Cynthialy株式会社代表取締役。早稲田大学大学院卒業後、外資ITのSAPにてHR SaaSエンタープライズ営業、北欧マーケティングリサーチプラットフォームベンチャーにてアジア領域の事業開発などを経験。その後、AIスタートアップ・Cinnamon AIの事業開発マネージャーとして、大企業向けAIビジネス新規事業・営業・マーケティングに従事。さらに、1社創業しAIスタートアップ複数社のマーケティング・広報立ち上げ・DXスタートアップ向けのハイクラスエージェントの立ち上げなど。2022年10月にCynthialy創業。

Twitter

誰でも
起業できる
魔法のツール

イベント企画・LP作りもChatGPTと

國本です。Cynthialy株式会社という会社を経営していまして、AI関係のコンサルティングとか、事業支援、営業支援、マーケティング支援などをやりながら、AIの活用支援全般を請け負っております。ChatGPTというよりも生成AIが対象領域です。

　ChatGPTですが、イベントを作る際にめちゃくちゃ活用していました。先日3000人規模のAIイベントを企画・運営したんですが、イベントのタイトルも、サブタイトルも、コンセプトも、イベント内の登壇テーマなども、全てChatGPTからアイデアを出力してもらいましたので、イベント企画が一瞬で出来上がりました。

　ChatGPTに情報を投げて、いくつか提案を出してもらってその中から最も適したものを選ぶので、時間が節約できました。

　また、LP（ランディングページ）作成においても、ほぼ全部ChatGPTで作っているので、時間と手間を大幅に削減できています。

対談記事は ChatGPTが 一瞬で作る

インタビューや対談の記事も、ChatGPTを使って一瞬でできます。まず、インタビューの音声データを文字起こしサービスを使って書き起こします。例えば私はLINE CLOVA Noteを使ってテキスト化して、そのテキストをChatGPTに貼り付けて、インタビュー記事を自動生成しています。

音声書き起こしAIが生成するテキストって、日本語の間違いや漢字のミスや口語表現をその通りに反映しているので、そのままでは綺麗な文章ではないじゃないですか。でもそれをChatGPTに貼って「インタビュー記事としてまとめてください」と指示することで8割9割ぐらいの記事がいきなり出来上がってくるという。

あとは自分で調整するだけですね。今までの対談やインタビューはなんだったんだろう？　というぐらい便利です。もう誰でもメディアを運営できる時代になった、ということですね。

プロンプトも ChatGPTが 書いてくれる

ChatGPTは画像生成にも活用しています。もちろん、ChatGPTはテキストデータしか出力してくれませんので、ChatGPTが画像を出力するのではなく、Midjourneyなどの画像生成AIに入力するプロンプトを考えてくれるんです。

　例えば、ChatGPTに「画像生成AIに入力するプロンプトを英語で出してくれ」と伝えてイメージやコンセプトを入力すると「"Create an illustration that represents the concept of 'Generative AI' and 'Creativity', in a pop-art style featuring shades of turquoise and orange."」などと出力してくれます。あとは、このプロンプトをMidjourneyに入れるだけです。

　ChatGPTだけでなく、生成AIを組み合わせることによって、デザイナーやイラストレーターでなくても、一定のレベルのイラストを作り出すことが可能になりましたね。

北沢毅

×

ChatGPT

TSUYOSHI KITAZAWA

創業80年の果樹園「フルーツガーデン北沢」の4代目。りんごの美味しく罪深い食べ方を探求する。Twitterでは簡単美味しいりんごレシピ、知られてないけど激ウマな品種、ちょっとディープな栽培の裏側を紹介。

Twitter

ChatGPTとは?

りんご農園の
コンサルタント
（無料）

チャット履歴機能がかなり使える

長野県の南部で、観光果樹園をやっています北沢と申します。正直すごく小規模な法人なので全然農作業以外に割くリソースがないため、コンサルや専門家に気軽に相談できたらいいなと思って、ChatGPTでコンサルを召喚して育てています。

　チャットの最初に「あなたは戦略コンサルタントです。私の事業を戦略コンサルとして成功に導いてください」みたいに宣言して、なってほしい専門家を定義した上で、履歴の名前を「戦略コンサル」に変え、戦略についてはNewChatではなく、その戦略コンサルに相談し続けています。

　ChatGPTは会話の履歴が短期記憶として残るので、ブランド戦略コンサル、社労士、弁護士、税理士、ECマーケター、など現在10人の〝仮想〟コンサルに相談しながらりんご農園を経営できるんです。すごく頼りにしています（笑）。

映える料理の提供方法を教えて

一次産業とも言われる農園の実務については、ChatGPTはイマイチ使えない印象です。例えばりんごの病害で「紋羽病」というものがありますが、さも知っていそうな風に平気で嘘をついてきます。なので、一次産業としてChatGPTを使っているというよりも、会社経営とかブランディングとかマーケティングで活用している感じです。

　うちは観光農園として「農園BBQ」も提供しています。思わず写真を撮りたくなるような、ライトアップされた農園の中で楽しむ野外レストランです。その時に出す料理のアイデアはChatGPTが結構いい出力をしてくれます。BBQに合う、思わず写真を撮りたくなるような映えるメニューを教えてとか。

　ChatGPTだと盛り上がる演出の提案とか、盛り上がる料理の提供方法とか、そういうのも一緒に出してくれるのでめちゃくちゃ参考になります。

「一次産業だから関係ない」は間違い

先ほどご紹介したように、10人のコンサルと私で、いわば「ひとりオーシャンズ11」として農園を経営しているわけですが、現時点でどんなコンサルを育成しているのかお話しします。

　まずブランド戦略コンサル。農産物のみでの顧客満足度向上には限界があって、ブランド力の向上が不可欠です。自社ブランドを作り強化し、ファンを獲得するために色々相談しています。

　「BBQコンサル」はBBQで映える料理を教えてくれたり、ECコンサルには通販で売っている商品の見せ方を相談したり、イベントコンサルにはイベント出展についての相談、文章作成コンサルには商品パッケージや宣伝の内容やメールの内容の相談など。

　一次産業だとChatGPTなんて関係ないと思うかもしれませんが、経営部分で活用することでこれが数年後大きな差別化になっているんじゃないかなと思っています。

みやさかしんや

×

ChatGPT

SHINYA MIYASAKA

現役のエンジニア。サブスク型プログラミングスクール「Pyサブスクール」を運営。TwitterでPythonのスキルや知識を発信するインフルエンサー。本名は宮坂真弥。

Twitter

プログラマーにとって超有能な助手

コードは
ChatGPTに
書いてもらう

Python エンジニアの宮坂です。メーカーで Python エンジニアとして勤務しながら、Python プログラミングスクールを運営しています。今日は、エンジニア不要論が世間で囁かれている中で、エンジニア当事者として話せたらと思っています。

　まず、自分自身で具体的に書きたいコードがある時にゼロから書くとなるとちょっと面倒だなということは多くありまして。そういう時には過去に自分で書いたコードから引っ張ってくるか Google で検索していたのですが、ChatGPT だと「あのライブラリを使ってこんな処理を作って！」みたいにラフに指示することで、短時間で簡単なコードを書き上げてくれます。しかも、指示した時には脳内では「こう書く」と予想しているわけですが、たまに自分を上回っていい処理を出してくることもありますので、そういう時にはコピーして保存します(笑)。

ミスチェックは
ChatGPTに
貼るだけ

コード出力以外では、ChatGPTのレビューが便利ですね。自分が書いたコードでエラーが出た時に、ChatGPTにエラーメッセージを貼るとどこがミスっているのか一発で教えてくれます。

　さらに、ソースコードだけでなく、コードのコメント挿入も便利です。特に他人が書いたコードがわかりづらくて理解するのに時間がかかる場合、ChatGPTに「これにコメントを入れて」と依頼してコードを貼ると、それぞれの処理が何をしているのか、きちんとしたコメントをつけてくれます。

　さらに、特定のプログラミング言語のソースコードを別の言語に書き直してもらうことも可能です。古いプログラミング言語で書かれたコードをPythonにリライトする際などに非常に便利ですね。

　めちゃくちゃ使えるアシスタントという感じなので、もはやChatGPTがなくなると正直、辛いですね（笑）。

プログラミング言語学習の家庭教師に

プログラミング言語を学ぶ初心者にとっても、ChatGPTはめちゃくちゃ便利です。プログラミングの入門書を購入したユーザーが最初にどこで脱落するかご存知でしょうか？

　それは一番初め、Pythonの開発環境やライブラリをインストールする部分のエラーです。最初でつまずいてしまった人の半数は、心が折れてしまうとも言われています。

　ChatGPTはインストール時のエラーコードを貼り付けるだけで、問題箇所と解決策を教えてくれるため、まるで「自分専用の」家庭教師のような存在としてサポートしてくれるのは、めちゃくちゃいいと思いますね。ChatGPTはプログラミングの学習支援もやってくれるので、プログラミング初心者から現役エンジニアまで幅広く活用できるツールだと思います。

荒木賢二郎

×

ChatGPT

KENJIRO ARAKI

1980年11月28日生まれ。長崎県出身。大学卒業と同時に起業、Webデザイン会社などを創業・共同創業し、複数のEXITを経験。東京農工大学工学部卒業、早稲田大学大学院商学研究科（MBA）修了、優秀修了生。現在はテレワーク・テクノロジーズ株式会社代表取締役CEOとしてChatGPTや生成AI関連の研修・コンサル事業を立ち上げ中。

Twitter

何にだって
なれる、
何だってできる、
魔法

PDFの
プラグイン
やばい

荒木です。最近は「ChatGPT ×〇〇」の切り口で研修やコンサルをやっています。ChatGPTは便利に使わせていただいていて、まずは他の方が触れていないプラグインの話をしようと思います。

　ChatGPTにはプラグインという外部拡張機能がありまして、例えばiPhoneにアプリを入れたり、Chromeに拡張機能を入れたりするのと同様に、ChatGPTに拡張機能を入れることができるんです。

　自分のイチ押しはPDF関連です。プラグインもどんどん進化していくので特定のプラグイン紹介は控えますが、PDF関連のプラグインを使うと、PDFをChatGPTに読み込ませてその内容をChatGPTに理解させることが可能になります。あとは、「助成金の申請スケジュールを教えて」などと質問したら、PDFの内容に従ってChatGPTが答えてくれます。自分は助成金をはじめ、行政のPDFを読み込ませることが多いのですが、会社の膨大な資料を読み込ませるなど、何にでも使えますよね。

ブラウジング機能もやばい

今、この原稿を書いている時点では、ChatGPTは2021年9月までの情報しか学習していません。意外に思われるかもしれませんが、ChatGPTはインターネットの情報をリアルタイムでまとめて表示しているわけではないんです。2021年9月までの膨大な情報を学習して情報を出してい〝ました〟。そう、ついに〝Browse with Bing〟というインターネット上の情報にアクセスする機能ができたタイミングになったので加筆しています。

　例えば、〝Browse with Bing〟をONにしてから「○○○○に関する研究論文のうちアメリカで著名なものを3つ探して、それぞれ内容を要約して」とプロンプト（入力文）を入れるだけで、ChatGPTはインターネット上の情報からそれっぽい英語の論文を探して、日本語で要約して表示してくれます。革命ですね。もちろん、情報の正確性は不明なので、8割ぐらい合っていればいいと割り切って使う分には恐ろしく便利です。

コード
インタープリタが
やばい

ChatGPT のプラグインには「Code Interpreter（コードインタープリタ）」という、コードを書かずに直接プログラミングが実行できるものも登場しています。日本語でプログラミングが実行されるというものです。わかりづらいですよね、事務の人でも経理の人でも誰でもプログラミングができるようになるということです。

　本書を執筆している時点ではアルファ版として特定の人にしか公開されていないものになっていますが、まもなくみなさんも自由に使える状態になるでしょう。

　例えば Excel のデータを視覚化したり、動画編集をしたり、データを分析したり、従来はプログラミングが必要だった作業が、ChatGPT で完結するようになります。

　通常の ChatGPT はプログラミングコードを書き出すだけでしたが、コードインタープリタは実行して結果まで出してくれるという点が異なります。もう事務職がなんでもできる時代が来ていますね。

語学習得は ChatGPT 先生がやばい

ChatGPTはめちゃくちゃ頭がいい〝先生〟でもあります。例えば、当社ではPythonプログラミング言語を習得するスクールを運営しているのですが、言語教育もChatGPT〝先生〟がします。

　スクールでは初回講義の際にPythonを自分のパソコンにインストールする作業が必要なのですが、みなさん色々なパソコンを使っているので約半数はエラーになってしまうんですね。しかし、ChatGPT〝先生〟なら、エラーコードをコピペするだけで内容を解析して、次にどうすればいいのか解決策を表示してくれるんです。

　当社の場合API連携してSlackからChatGPT先生を呼び出せるようにしているので、スクールの受講生はもう毎日24時間先生に相談をして言語を習得しています。

　え？　ChatGPTとSlackの連携のやり方がわからない？安心してください、自分も知りません。それさえもChatGPT先生に聞いて指示通りにやっているだけですから。

負けたから
勝てる
ChatGPT

あまり話したくないことになりますが、当社は一度倒産しかけています。どん底の状況でしたが、諦めずにChatGPTに相談し続け、ChatGPTの研修・コンサルの事業を立ち上げたからこそ、今があります。つまり、前回の事業で負けたからChatGPTにいち早く飛びついたと言えます。なので同じように、ChatGPTの普及期である今「負けている暇な方」はChatGPT関連の事業に100%コミットできるので、めちゃくちゃチャンスだと思います。

　ChatGPTに興味を持った方はぜひ、堀江貴文氏と私が共同で運営する研修・コンサル事業の「パイソンメイカー」「タノメル」へ。あなたがChatGPTで生活や仕事を変えたいと願うのであれば、私たちは、あらゆる手助けを行う事を約束します。

　自分では試行錯誤しているつもりなのに結果が出ない方が、本書をキッカケにChatGPTを活用し、事業を作ったり、副業を作ったり、100%コミットした無謀な挑戦をされることを、心より願っております。

 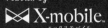

HORIE MOBILEは携帯のLCCです。

HM HORIE MOBILE
Powered by ✉ X-mobile
エックスモバイル

ネット 毎月20GB
電 話 5分かけ放題

月額 **2,755**円（税別）
〈3,030円（税込）〉

HORIE MOBILEは無料特典がすごい
https://horiemobile.jp/?hm=3o6PTk

※特典の内容は変更になる場合がございます。

 voicy

ホリエモンチャンネル
プレミアムリスナー / 月額 1,300 円

 ZATSUDAN

堀江貴文 配信分 / 月額 1,500 円

HM
ユーザー様限定

DAILY HORIE NEWS

他社サービス / 月額 9,000 円
〈1投稿 300 円 ×30 日〉

小麦の奴隷

カレーパン 1 個 / 290 円を
毎月無料で進呈！

いってらっしゃい

HM
余ったギガは
翌月繰越し

HORIE MOBILEの申込みや無料特典の詳細は、公式サイトへ

堀江貴文

1972年、福岡県生まれ。実業家。SNS media&consulting株式会社ファウンダー。元株式会社ライブドア代表取締役CEO。現在は、ロケットエンジン開発を中心にスマホアプリ「TERIYAKI」「755」のプロデュースを手掛けるなど様々なジャンルで活躍。会員制コミュニケーションサロン「堀江貴文イノベーション大学校（HIU）」のメンバーは2000人を超える。『ゼロ』（ダイヤモンド社）、『本音で生きる』（SB新書）、『多動力』（幻冬舎）、『むだ死にしない技術』（マガジンハウス）ほか著書多数。

荒木賢二郎

1980年11月28日生まれ。長崎県出身。22歳で大学卒業と同時に起業、Webデザイン会社、飲食店運営会社、アプリ開発会社、IoT電球開発会社、デジタルガジェットリペア会社、飲食店DX支援会社、メディア運営会社などを創業・共同創業し、複数のEXITを経験。東京農工大学工学部卒業、早稲田大学大学院商学研究科（MBA）修了（成績上位10％優秀修了表彰）。現在はテレワーク・テクノロジーズ株式会社代表取締役CEOとしてChatGPTや生成AI関連の研修・コンサル事業を立ち上げ中。

マンガ	若林杏樹（あんじゅ先生）/ Twitter @wakanjyu321
技術監修	熊澤秀道
著者近影	古谷利幸
装丁	トサカデザイン（戸倉巌、小酒保子）
DTP	美創

堀江貴文のChatGPT大全

2023年8月1日　第1刷発行

著者　　堀江貴文　荒木賢二郎
発行人　見城 徹
編集人　福島広司
編集者　片野貴司

発行所
株式会社 幻冬舎
〒151-0051 東京都渋谷区千駄ヶ谷 4-9-7
電話：03（5411）6211（編集）
　　　 03（5411）6222（営業）
公式HP：https://www.gentosha.co.jp/

印刷・製本所
株式会社 光邦

検印廃止

この本に関するご意見・ご感想は、下記アンケートフォームからお寄せください。
https://www.gentosha.co.jp/e/